CEO 안철수,

지금 우리에게 필요한 것은

CEO안철수, 지금 우리에게 필요한 것은

저자_ 안철수

1판 1쇄 발행_ 2004. 12. 9.
1판 82쇄 발행_ 2010. 6. 27.

발행처_ 김영사
발행인_ 박은주

등록번호_ 제406-2003-036호
등록일자_ 1979. 5. 17.

경기도 파주시 교하읍 문발리 출판단지 515-1 우편번호 413-756
마케팅부 031)955-3100, 편집부 031)955-3250, 팩시밀리 031)955-3111

값은 표지에 있습니다.
ISBN 978-89-349-1720-5 03320

독자의견 전화_ 031) 955-3104
홈페이지_ http://www.gimmyoung.com
이메일_ bestbook@gimmyoung.com

좋은 독자가 좋은 책을 만듭니다.
김영사는 독자 여러분의 의견에 항상 귀 기울이고 있습니다.

CEO 안철수,

지금 우리에게 필요한 것은

안철수 지음

김영사

Ahn

10년 전,

안철수는 의사에서 경영인으로 변신했다. 그는 술수와 작전이 난무하는
기업세계에서 원칙과 기본으로 승부하여 마침내 우리가 간과하고 있던 성공의
참된 의미와 방법론을 일깨워주었다. 그는 삶도 비즈니스도 결국은 긴 호흡과
영혼으로 승부하는 것임을 보여줌으로써 우리사회가 가장 신뢰하는 리더가 되었다.

이제

"CEO 안철수, 영혼이 있는 승부"가 10년의 시간을 경과하게 되었다.
지금 그가 우리에게 말하고 싶어하는 다음 이야기는 무엇일까? 10년 사이 그는
국내 대표 IT 기업의 경영인에 안주하지 않고, 글로벌 경쟁이라는 치열한 전쟁터에서
세계적인 기업으로 서기 위해 전략적 리더, 커뮤니케이션 리더로서 거듭났다.
정보지식 사회에 대한 사회적 인프라가 없는 한국사회의 패러다임과 의식을
업그레이드하기 위해 열심히 발언했고, 글로벌 시대 앞에서 정체된 성장과 도약을 위해
미래의 대안을 제시하려 노력했다. 그가 했던 시행착오들과 문제의식들,
생각과 기록들을 우리 시대와 공유하고자 다시 책을 썼다.

차례

책머리에

『영혼이 있는 승부』를 출간한 지 3년이라는 시간이 지났다. 그동안 안연구소의 규모도 더욱 커지고, 새롭게 합류한 여러 구성원들과 함께 일하고 고민하면서 더 많은 것을 배울 수 있었다. 처음으로 성장 정체의 위기에 빠지기도 했고, 이를 극복하고 다시 성장의 가닥을 잡아나가는 소중한 경험도 할 수 있었다.

그동안 가장 많은 고민을 했던 부분은, 혼자서는 할 수 없는 의미 있는 일을 여러 사람들이 모여 함께 이루어가기 위해서는 어떠한 마음가짐을 가져야 하는가였다. 그리고 급변하는 글로벌 시대에 각 개인들이 살아남기 위해서, 그리고 그들이 속한 조직도 함께 발전하기 위해서는 어떤 생각을 가져야 하는지에 대해서도 나름대로 정리된 의견을 가질 수 있었다.

개인의 경쟁력과 조직의 경쟁력은 따로 떨어진 것이 아니라 서로 밀접하게 관련되어 있으며, 같이 발전할 수 있는 길을 찾기 위해서 양쪽 모두가 노력하는 것이 가장 바람직하다. 그리고 그러한 '21세기를 살아가는 전문가로서, 그리고 한 사람의 조직 구성원으로서 갖

추어야 할 마음가짐' 은 작은 규모의 회사에서부터 거대한 국가에 이르기까지 사람들이 모여서 만들어진 조직이라면 공통적으로 적용이 가능하다고 생각한다. 이 책은 바로 이러한 나의 생각을 담은 것이다.

나에게는 바쁜 일상 가운데서도 틈틈이 글을 쓰는 이유가 몇 가지 있다. 첫째는 나 자신을 위해서이다. 일을 하면서 경험하고 고민했던 부분들 그리고 책을 보면서 현실과의 접목을 통해 내 나름대로 깨달았던 부분들을 스스로 정리할 필요 때문이다. 이러한 부분들이 정리되지 않으면 머릿속이 점점 더 헝클어지고 새로운 것들을 배울 여력이 없다고 느낀다.

둘째 이유는 업계를 위해서이다. 창업을 준비하는 사람들 또는 벤처 기업 경영자들이 내가 했던 시행착오를 반복하지 않을 수 있다면, 내 경험과 생각을 기록으로 남기는 일은 충분히 가치 있는 일이 될 수 있으리라 생각한다. 또한 내가 속해 있는 정보통신업계에 대한 내용을 대중에게 알림으로써 정보통신업계와 일반 국민들 사이의 거리를 조금이라도 좁힐 수 있지 않을까 하는 바람도 있다.

세 번째 이유는 우리 모두를 위해서이다. 내 나름대로 고민했던 내용들을 가능한 많은 사람들과 공유함으로써, 우리 사회가 조금이라도 더 좋은 방향으로 나아가는 데 보탬이 되었으면 하는 바람이다.

나는 글을 쓸 때 두 가지 원칙을 가지고 있다. 첫째는 개인적인 이해타산이 포함되면 안 된다는 것이다. 나는 오래 전부터 글을 써왔기 때문에 예전에 썼던 글을 다시 볼 때가 가끔 있다. 그리고 10년 전, 20년 전의 글을 읽으면서 지금도 한 점 부끄러움이 없음을 다행으로 생각하고 있다. 만약 그 당시 처해 있던 상황을 타개하고자 이해타산의 마음으로 글을 썼다면, 지금의 나는 떳떳할 수 없을 것이다. 따라서 거창한 표현이기는 하지만, 글은 '역사의식' 을 가지고 써야 한다고 믿는다. 사람은 죽어도 글은 남기 때문이다.

둘째로 내 의견이 틀릴 수 있다는 생각을 항상 가지고 있다. '자기가 아는 만큼만 볼 수 있다' 라는 말이 있듯이 내가 아는 범위 내에서 최선을 다해서 생각한 것일지라도 나보다 더 넓은 시야를 가진 사람의 지적과 충고에 항상 마음을 열어두고 있다. 나는 다양한 의견이 서로 존중되는 사회가 발전할 수 있다고 믿는 사람이다.

따라서 나의 글은 내 생각이 옳다는 것을 알리기 위한 것이 아니라, 내 나름대로의 시각이 사회의 다양성에 조금이라도 기여하고, 중요하지만 관심에서 멀어졌던 사안들을 다시 논의의 장으로 올렸으면 하는 마음으로 쓴 것이다.

이 책은 크게 다섯 부분으로 구성되어 있다. 1부에서는 내가 개인적으로 그리고 안연구소를 통해서 경험했던 여러 가지 일들 중에서 자기경영과 관련된 이야기들을 담았다.

2부는 조직 구성원으로서 갖추어야 할 마음가짐에 대한 내용이다. 서로에 대한 존중과 배려, 정확한 커뮤니케이션을 위한 자세, 도요타의 T자형 인재와 안연구소의 A자형 인재, 『영혼이 있는 승부』에 나오는 핵심가치와 이 책에서의 인재상과의 상관관계, 조직과 시스템, 관리자의 자질과 역할, 진정한 권한위임의 의미 등이 담겨 있다.

3부에서는 정보통신(IT)에 대한 내용을 다루었다. 정보통신 산업과 소프트웨어 산업의 문제점, 프로그래머가 되려는 사람들을 위한 조언, 컴퓨터를 사용하는 사람이라면 필수적으로 알아야 하는 정보 보호에 대한 기본적인 상식 등이 주된 내용이다.

4부는 급변하는 글로벌 환경과 우리 한국 사회에 대한 글이다. 우리의 가치관과 국민정서, 사회적 합의가 잘 이루어지지 않는 이유, 2만 불 시대를 열기 위한 두 가지 키워드, 우리 사회의 업그레이드를 위해 해결해야 할 과제들을 정리해 보았다.

5부는 젊은 세대들을 위해서 도움이 될만한 글들을 모아보았다. 개인적인 경험들을 통해서 청소년이나 학생들에게 들려주고 싶은 이야기들, 최선을 다하는 삶의 의미, 책 읽는 방법 등에 대한 생각이 담겨 있다.

조직에 대한 경험을 하면 할수록, 사람들이 모여서 만들어진 조직이라면 크기와 상관없이 공통적인 원칙이 적용될 수 있다는 사실을 절감한다. 개인과 조직 모두 잘되기 위해 조직 구성원으로서 갖추어야 할 마음가짐은 곧 대한민국 국민으로서 갖추어야 할 마음가짐과 크게 다르지 않다는 뜻이다.

끝으로 좋은 책이 될 수 있도록 도움을 아끼지 않으신 김영사의 편집팀과 관계자 여러분, 그리고 지금까지 함께 생각을 나누고 많은 것을 배울 수 있는 기회를 준 안연구소 임직원 한 분 한 분께 깊은 감사를 드린다.

2004년 겨울 초입에서

안철수

어떤 일을 선택할 때는 과거를 잊어버리는 것이 중요하다. 과거에 아무리 커다란 성공을 하였든 혹은 치명적인 실패를 하였든 간에 그런 것들은 중요하지 않다. 항상 현실에 중심을 두고 미래를 생각하는 마음가짐이 필요하다. 나 자신도 발전할 수 있고, 재미있게 일을 할 수 있으며, 사회에 도움을 줄 수 있는지를 생각해야 한다.
재미있게 일을 할 수 있다는 것에 큰 비중을 두지 않는 사람들이 더러 있다. 그러나 나는 이것이 무엇보다도 중요하다고 생각한다. 재미있다는 것은 오랫동안 열정을 가지고 일을 할 수 있다는 것과 직결된다. 아무리 성취감과 보람이 있는 일이더라도 열정을 가질 수 없다면 계속해서 그 일을 하기는 힘들며 그 분야에서 최고가 되기는 더더욱 힘들다.

자기경영을 위한 노트

1

선택 앞에서는 과거를 버리는 것이 중요하다

CEO AHN CHEOL SOO

인생은 선택의 연속이다. 식사 메뉴와 같은 사소한 것에서부터 운명을 좌우하는 중요한 결정에 이르기까지, 그때마다 선택의 순간에 서게 된다. 어느 광고 문구처럼 '순간의 선택'이 평생을 좌우하기도 하고, 식사 메뉴처럼 1회성에 그치는 선택도 있다.

우리의 인생은 선택이라는 점으로 이루어진 선인 셈이다. 우리는 그 선으로 아무런 형태도 이루지 못하고 그저 무수히 어긋나는 선만 그릴 수도 있는 반면에, 면을 만들 수도 있고 3차원의 세계를 창조할 수도 있다.

지금 나는 의대 교수 대신 보안 회사의 경영자가 되었고, 여러 가지 우여곡절 끝에 여기까지 오게 되었다. 박사, 교수, 의사, 칼럼니스트, 프로그래머, 사장…… 인생에서 얼마나 많은 선택과 결정을 해왔는가. 나 역시 선택하는 순간부터 결코 쉽지 않은 길이었으며, 이후의 길도 역시 순탄하지는 않았다. 그러나 만약 내가 선택 이후의 변화를 두려워해서 의대 교수에 머물렀다면 한 번밖에 없는 인생에서 이렇게 다양하고 풍부한 삶을 경험할 수 있었을까.

나는 어릴 적부터 기계나 전자 부품 만지는 것을 무척 좋아했다. 적성만 생각하면 공대에 가는 것도 괜찮았을 것이다. 그러나 고등학교 때 나 스스로 의과 대학에 가기로 결심했다. 부모님이 내게 부담을 주지 않기 위해서 말씀은 안 하시지만 의대 진학을 바라신다는 것을 짐작하고 있었다. 부모님께서 내게 얼마나 많은 것을 무조건적으로 베풀어주셨는지를 생각하면서 나는 그런 결정을 내렸다.

대학을 다니면서 했던 고민은 전공이 적성에 맞고 안 맞고 그런 게 아니었다. 내가 세상에서 해야 할 일이 무엇인지, 어떻게 살아야 하는지 고민하기 시작했다. 살아가면서 혜택받는 수많은 문명의 이기들은 선조들이 쌓아온 지식과, 동시대의 땀흘리며 일하는 무수한 사람들의 노력 속에서 일구어진 것이다. 사회를 살아가는 한 일원으로서 일방적으로 혜택을 받기보다는 내가 할 수 있는 일을 해서 받은 일부라도 돌려주고 싶었다.

그러한 동기에서 신자는 아니었지만 가톨릭 학생회에 가입했다. 토요일이면 구로동에서 의료봉사 활동을 했고 방학 때면 무의촌을 찾아갔다. 가난하고 병든 사람들, 삶의 무게에 짓눌려 얼굴에 짙은 그늘을 드리우고 사는 그들을 보았다. 진료소에 올 수조차 없을 만큼 운신이 힘든 환자들을 찾아서 그들의 집으로 왕진을 갔다 돌아오는 골목길에서는 남몰래 눈물을 훔쳐야 했다.

의대를 졸업할 때가 되어서 다시 중요한 선택의 기로에 서게 되었다. 직접 환자를 돌보는 의사가 될 것인지, 연구직을 택할 것인지를 놓고 깊은 고민에 빠졌다. 결국 연구직을 택했고, 인체에 대한 근본적인 연구를 다루는 생리학 교실에 들어갔다.

환자를 보는 의사 대신 연구직을 선택한 것은, 환자 한 사람 한 사람을 도와주는 것도 의미있는 일이지만, 인체에 대한 근본적인 연구를 통해서 병의 원인을 밝히는 데 기여할 수 있다면 보다 많은 사람들에게 도움이 될 것이라는 생각 때문이었다. 또 연구직에 종사한다면 학생 때부터 틈틈이 공부해 온 컴퓨터 실력을 잘 활용할 수 있을 것이라는 생각도 있었다.

생리학 교실에 들어간 나는 그동안 배우지 못했던 새로운 공부를 시작했다. 생리학 중에서도 전기생리학이 전공이었으므로 관련 과목인 전자공학과 선형대수, 미분방정식, 물리화학 등을 혼자 공부했다. 새로운 선택 뒤에 따라야 하는 노력이었다.

살아 있음을 증명하기라도 하듯 선택은 계속 내 앞에 놓여졌다.

서울 올림픽이 열리던 해인 1988년 초 컴퓨터 소식지를 통해서 '브레인 바이러스'가 전 세계에 엄청난 피해를 입히고 있다는 뉴스를 들었다. 플로피 디스켓을 통해 내 컴퓨터도 감염되었다는 사실을 알게 된 것은 그 직후였다. 브레인 바이러스가 컴퓨터 안에 자리를 잡고 앉아 마치 주인이라도 된 듯이 화면에 '브레인'이란 이름을 띄워놓았던 것이다. 처음에 그놈을 발견했을 때는 등골이 오싹해지기까지 했다.

시키지도 않은 짓을 한 그놈의 정체라도 알아내기 위해 우선 그 속을 뜯어보기로 했다. 마침 기계어를 공부하고 있던 중이라 대략의 원리를 알아낼 수 있었다. 그 당시 우리나라의 거의 모든 컴퓨터가 감염되었을 정도로 피해가 컸음에도 컴퓨터 바이러스에 대한 대비책은 전무한 실정이었다. 의대 박사 과정 중이었지만, 컴퓨터 바이러스를 분석한 지식을 바탕으로 퇴치할 수 있는 백신 프로그램까지 직접 만들어보자 싶었다. 국내에서 처음이었고, 지금 글로벌 기업으로 성장한 유수한 기업들보다도 1년 정도 앞서는 시기였다.

그러나 나는 일반에게 무료 공개를 하였고, 기업화는 7년이나 늦게 되었다. 처음부터 상업화를 목적으로 설립된 글로벌 기업들과 안연구소가 규모면에서 차이가 나는 이유가 되었지만 거기에 대한 후회는 추호도 없다. 그 기간에도 백신을 무료로 보급하면서 국가적으로 큰 피해를 막을 수 있었던 것에 큰 가치가 있다고 생각한다.

처음 백신 프로그램을 만들었을 때만 하더라도 호기심에서 한번 해본 일이었지, 이 일을 계속할 생각은 없었다. 의학자로서 내 목표가 뚜렷했기 때문이다. 그런데 한 번 백신 프로그램을 만들고 나니까 계속 발견되는 신종 바이러스에 대한 해결 요청이 모두 나에게 들어오게 되었다. 처음에는 당혹스러웠지만, 시간이 없다거나 힘들다는 이유로 외면할 수 없었다.

고민 끝에 매일 새벽 3시에 일어나서 6시까지 백신 프로그램을 만들고, 학교로 출근해서는 하루 종일 전공 일을 했다. 그런 생활이 7년이나 이어지게 되었다. 하지만 언제까지나 그럴 수 있는 것은 아니었다.

군의관 제대 후인 1994년부터는 심각한 고민을 할 수밖에 없었다. 이제 대학으로 복귀해서 대학원생들의 지도 교수를 맡게 될 텐데, 책임이 더 커지는 것은 당연했다. 막중한 책임이 따르는 역할을 맡게 되면 아무리 자기 시간이라고는 하지만 책임과 상관없는 다른 일을 해서는 안 될 것 같았다. 의학에 몰두하는 것이 학생들에 대한 도리일 뿐 아니라, 한 분야에서 세계적인 수준의 학자가 되기 위해서라도 그래야 한다는 고민이 들었다.

선택을 해야 하는 시기라는 판단을 하게 된 또 하나의 이유는 갈수록 늘어나는 바이러스 때문이었다. 그 전까지는 컴퓨터 바이러스가 그렇게 많지 않았다. 두 달에 3개 정도 나오는 상황이라 혼자서도 충분히 대처할 수 있었는데, 그때쯤 되니 1년에 70여 종으로 늘어나 더 이상 새벽에 일어나 3시간 정도 일하는 것만으로는 속출하는 바이러스를 감당할 수 없는 상황이 되어버렸다.

어느 한 쪽만을 집중해서 파고들어도 제대로 해내기 힘든데, 둘 다 하다가는 어느 누구에게도 도움이 못 되고, 나 자신도 어정쩡한 사람이 될 수밖에 없을 것 같았다. 결국 둘 중 하나는 포기해야 했다. 그런 상황에서 미적거린다는 것은 아무런 도움이 되지 않는다는 것을 알았지만 현실은 그리 간단하지 않아 쉽게 결정할 수가 없었다.

그 당시 우리나라에서 바이러스나 컴퓨터 보안 쪽의 일을 하는 사람은 그다지 많지 않았고, 특히 바이러스는 나 하나뿐이었다. 반면에 의학 쪽에는 이미 많은 인력이 있었으며, 그것도 나보다 훨씬 재능 있는 사람들이 많았다. 그런 상황이라면 나를 절실하게 필요로 하는 쪽은 의학계가 아니라, 컴퓨터 보안 쪽일지도 모른다는 생각이 들었다.

오랜 고민 끝에 결국 컴퓨터를 선택했다. 나는 20대 의학 박사, 의대 교수로 이어지던 의학자의 길을 포기했다. 그것은 나름대로 가지고 있던 내 자신의 판단 기준에 따른 결론이었다. 의사의 길을 버리고 경영인의 길로 들어서게 된 일은, 내 인생에서 가장 큰 변화를 가져온 선택이 되었다.

이때 고민하면서 깨달았던 것은 어떤 일을 선택할 때는 과거를 잊어버리는 것이 중요하다는 것이다. 과거에 아무리 커다란 성공을 하였든 혹은 치명적인 실패를 하였든 간에 그런 것들은 중요하지 않다. 항상 현실에 중심을 두고 미래를 생각하는 마음가짐이 필요하다. 나 자신도 발전할 수 있고, 재미있게 일을 할 수 있으며, 다른 사람에게 도움을 줄 수 있는지를 생각해야 한다.

재미있게 일을 할 수 있다는 것에 큰 비중을 두지 않는 사람들이 더러 있다. 그러나 나는 이것이 무엇보다도 중요하다고 생각한다. 재미있다는 것은 오랫동안 열정을 가지고 일을 할 수 있다는 것과 직결된다. 아무리 성취감과 보람이 있는 일이라도 열정을 가질 수 없다면 계속해서 그 일을 하기 힘들며 그 분야에서 최고가 되기는 더더욱 힘들다.

처음 회사를 만들 때, 경영에 대해서는 아무것도 몰랐던 나는 회사 설립을 권유한 사람에게 물었다.

"저는 사람을 만나고 외부 활동을 하는 것보다는 혼자서 책을 읽고 글을 쓰거나 프로그래밍하는 것을 더 좋아합니다. 회사를 만들어도 제가 좋아하는 일만 계속할 수 있을까요?"

그때 그는 이렇게 대답했다.

"당연하지요. 사장 위에는 아무도 없잖습니까? 당연히 하고 싶은 일만 할 수 있습니다."

지금 생각하면 어처구니없지만 그 한마디가 회사 설립에 대한 결심을 굳혀준 계기가 되었다.

그러나 회사를 세운 후 진실을 깨닫기까지는 그리 오랜 시간이 걸리지 않았다. 사장이란 자기가 하고 싶은 일만 할 수는 없으며, 해서도 안 되는 사람이라는 것을. 자기보다는 회사의 모든 사람에게 이로운 방향으로 선택하고 행동하는 것이 사장이 해야 하는 일이다. 극단적으로 조직의 이익과 개인의 이익이 상충할 때라도 기꺼이 개인의 이익을 던져버리는 것이 조직의 리더가 해야 하는 일이다.

단언하건대, 전체가 잘될 수 있다면 나는 개인적인 이해타산과 상관없이 어떠한 선택도 할 수 있는 마음의 자세를 가지고 있다. 그리고 지금까지 말로만 이야기하기보다는 실제로 행동으로 보여주고자 노력해 왔다. 그러한 행동들 중에는 외부에서 보기에 놀라울 만큼 무모한 선택도 있었다. 그러나 그 모든 선택들은 나 나름대로의 기준에서 우리 모두가 잘될 수 있기 위해 필요한 것이었다. 그런 마음은 앞으로도 변하지 않을 것이다.

하루가 다르게 변하는 IT 환경에서 글로벌 경쟁력을 갖추기 위한 노력은 사실 전쟁을 방불케 한다. 그 전쟁 속에서 나는 늘 '선택'하고 그 선택이 실패로 끝나지 않도록 몇 배씩 노력하고 또 노력하고 있다.

10년 후를 생각하며 살아간다

CEO AHN CHEOL SOO

안연구소에는 나의 친척이 한 명도 없다. 그 역시 나의 의도적인 실천이다. 나와 학연이나 지연으로 연결되어 있는 사람도 없다. 내가 친척을 고용하지 않는 이유는 친척이 없어서가 아니다. 오히려 내게는 친척이 많은 편이다. 그러나 친척을 채용하게 되면 알게 모르게 그 사람의 직위와 상관없이 다른 직원들이 눈치를 볼 수밖에 없다. 그러면 실무자들이 소신 있게 일하기가 힘들다. 또한 같이 일하다가 잘되면 본전이지만, 잘 안 될 때는 핏줄끼리 평생 등 돌리고 살아야 하니 시작하지 않는 것보다 못할 것이라는 생각도 있다.

집안 어르신들도 이러한 점을 잘 아시고 나에게 알리지 않고 당신들 선에서 먼저 외부의 부탁들을 거절하시는 경우가 많다. 어르신들의 속 깊은 배려에 감사할 따름이다.

친척만이 아니다. 친구들로부터 청탁을 받는 경우도 종종 있다. 광고 회사를 운영하는 어떤 친구는 우리 회사 광고를 제의하기도 한다. 그러나 실무자들에게 그 말을 전하지는 않는다. 실무자가 객관적으로 소신을 가지고 판단을 하는 것이 우리 모두를 위해서, 나아가서는 친구의 경쟁력을 위해서도 옳다고 생각하기 때문이다.

그래도 역시 곤란한 경우가 인사 청탁이다. 언젠가 높은 관료 출신한 분이 자기가 추천하는 사람을 써달라고 부탁했는데, 한마디로 딱 잘라 거절하기가 참 힘들었다. 그분에게는 죄송한 일이었지만, 결국 거절하고 말았다. 실무자들이 전문성을 살려 일할 수 있는 환경과 기반을 위해서라면 오히려 그런 매는 맞는 게 옳다고 생각하며, 앞으로도 내가 나서서 맞을 결심이다.

소신껏 살아가기가 점점 어려워지는 세상이다. 더구나 리더가 되면 책임을 져야 하는 부분도 많아지고 그만큼 다양한 요구들이 늘어나니 더욱 그런 것 같다. 소신을 가지고 살아가기 위해선 신념만이 아니라 참을성도 있어야 한다. 주변의 평가에 일일이 다 신경을 곤두세우다간 아무것도 할 수 없다. 특히 그 평가가 비난이거나 오해에서 비롯된 것일 경우에는 더욱 신경이 쓰인다. 그러나 시간이 가면 풀리게 마련이다.

나 역시 이름이 알려지다보니 가끔 오해를 받는 일이 있다. 꽤 오랜 기간 꾸준히 글을 써왔고, 인터넷이 보편화된 후부터는 안연구소 홈페이지에 글을 올리고 있다. 내가 글을 쓰는 이유에 대해서는 책머리에서도 말했지만, 우선 나 자신이 경험하고 생각했던 내용들을 정리할 필요가 있어서이다. 그렇게 해야만이 머릿속이 정리되고 새로운 것을 배울 공간이 생기기 때문이다. 또 다른 이유는 나름대로 고민했던 내용들을 많은 사람과 공유함으로써 이 사회가 조금이라도 더 나은 방향으로 나아가는 데 도움이 될 수 있지 않을까 하는 바람 때문이다.

글을 쓸 때 나름대로 가지고 있는 원칙이 한 가지 있다. 10년, 20년 후에도 내가 쓴 글을 다시 읽어보거나 주위 사람들에게 보여줄 때 한 점 부끄러움이 없어야 한다는 것이다. 현재 내가 처해 있는 상황을 타개하고자 이해타산 또는 속된 표현으로 '밥그릇'을 지키기 위해서 글을 쓴다면 나중에 자신은 물론 후세까지도 두고두고 부끄러울 것이라고 생각한다. 사람은 죽어도 글은 남기 때문이다.

그러나 내가 글을 쓰는 이유나, 글의 내용 자체에 대해서 오해를 하는 경우가 간혹 있다. 한번은 홈페이지에 올린 '한국에서는 빌게이츠도 성공하기 어렵다'는 글이 세간에 화제가 된 적이 있다. 내가 이야기하고자 했던 것은 사회적인 인프라가 형성되지 않은 상황에서는 아무리 천재라 할지라도 한 사람이 할 수 있는 일에는 한계가 있는데 한국의 소프트웨어 산업에 대한 인프라가 너무 낙후하다는 게 요지였다.

회사의 실적이 나쁠 때 이러한 글을 올리면 자기 밥그릇이나 챙긴다는 오해를 받을 수 있겠지만, 이 글을 떳떳하게 쓸 수 있었던 것은 안연구소의 실적이 좋아지고 있었기 때문이었다. 창사 이래 가장 수익이 좋은 상황에서는 우리나라의 미래를 위해서 소프트웨어 산업에 대한 중요성과 문제점에 대해서 이야기할 수 있고 해야만 한다고 생각한 것이다. 그리고 열악한 환경에서 고생하면서도 그 어디에도 하소연할 데 없는 수많은 소프트웨어 회사들을 대변해야 한다고 생각했다.

그러나 이 글에 대해서 회사 형편이 어려워져서 글을 썼다고 오해하는 사람들이 있었다. 내 성격상 어려울 때는 오해받지 않기 위해서 오히려 그런 글은 쓰지 않는데도 말이다. 또, 글의 핵심이 대기업 SI

업체 위주의 소프트웨어 산업 구조와 미흡한 정부 제도였음에도 불구하고 글에서 아주 작은 일부분에 지나지 않았던 불법 복제 문제만을 논의의 초점으로 삼는 경우도 보았다. 편협한 시야나 사고방식만으로 다른 사람들의 의도나 생각을 곡해하는 분위기가 안타까웠다.

심지어 안연구소나 나에 대한 흑색 선전이 나에게까지 전달될 때도 있다. 내가 의사 출신이 아니라 수의사 출신인데 학력을 위조했다고 기자에게 이야기한 사람도 있다. 또 내가 간암에 걸려서 얼마 살지 못한다는 이야기는 아주 예전부터 들어서 언제 처음 들었는지 기억이 가물가물할 정도이다. 외국에서 가져온 백신을 팔아먹으려고 V3 성능 트집 잡기에 여념이 없는 사람들도 있다.

그 가운데서도 가장 재미있었던 것 중의 하나는 안연구소가 17대 총선 몇 달 전에 여의도로 이전한 것을 두고 내가 국회의원 전국구 자리를 받는 대가라는 소문이었다. 그렇다면 전국구 의원들은 모두 여의도로 주소를 옮기겠나 싶어 실소를 금치 못했다. 그러나 나는 아무 말도 하지 않았다.

일일이 대응하면 오히려 '아니 땐 굴뚝에 연기나랴' 하는 식으로 오해를 받을 수 있기도 하지만, 시간이 지나면 진실은 분명히 밝혀지리라 믿기 때문이다. 지금 당장에 국가를 흔들만큼 큰 규모의 사건이 아닌 다음에는 시간을 두고 기다린다. 어느 정도 세월이 지나면 진실은 밝혀지게 마련이라는 생각을 한다. 그래서 항상 10년 후를 생각하며 살아가려 한다.

시간은 원칙을 가지고 올바르게 살아가는 사람들에게는 가장 친한 친구이자 든든한 지원자이다. 그와는 반대로 위선적인 사람들에게는 가장 큰 적이 된다. 시간이 지나면 결국 그 사람이 더 이상 참지 못하거나 왜곡된 사실이 드러나면서 숨겨진 의도가 밝혀지기 때문이다. 시간을 내 편으로 만들고 살아가는 사람은 힘은 들지만 소신 있게 살아나갈 수 있을 것이다.

원칙은 손해를 감수하면서 지킬 때 의미가 있다

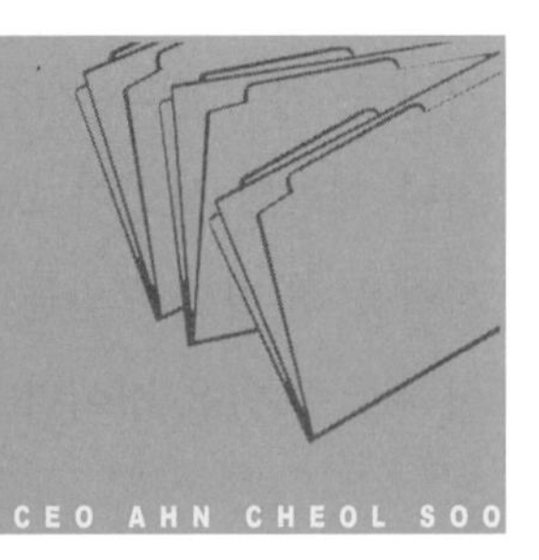

CEO AHN CHEOL SOO

2000년 우리나라에 '닷컴 열풍'이 불었을 때 주위에서 닷컴 기업에 투자하면 돈을 벌 수 있다고 권유했다. 그러나 우리는 '핵심 역량과 관계되는 분야가 아니면 투자하지 않는다'는 원칙을 지켰다.

반대로, 투자자를 유치하거나 주식 시장에 공개하라고 권유한 사람들도 많았다. 하물며 내 지분을 비싼 값으로 살 테니 팔라고 하는 사람들도 있었다. 그러나 그 당시 벤처 기업의 평가에는 거품이 끼어 있다는 것을 알고 있었기 때문에 투자를 받지도 주식을 팔지도 않았다.

회사로 많은 돈을 끌어들일 수도 있었겠지만, 회사의 핵심 역량에 의해서 영업 이익이 생기는 게 아니라, 투자 자금만 과도하게 끌어모으는 것은 장기적인 관점에서 회사에 오히려 나쁜 영향을 미친다는 믿음 때문이었다. 그로 인해 안연구소는 '닷컴 열풍' 때 투자 자금 한 푼 받지 못한 채 열풍을 비껴갔지만, 지금도 그 선택이 옳았다는 믿음에는 변함이 없다.

안연구소가 주식 시장에 공개된 것은 벤처 기업에 대한 거품이 어느 정도 걷힌, 아니 과도하게 빠진 '9·11 테러' 바로 다음 날이었다.

2000년이 저물어갈 때쯤, 미국 출장 중에 짬을 내어 보게 된 〈컨텐더(The Contender)〉란 영화에서 기대하지 못한 감동을 받았다. 영화의 줄거리는 이렇다.

미국 부통령이 갑작스럽게 죽자 한 여성 상원의원이 부통령 후보로 지목된다. 그러나 그녀는 대학교 때 섹스 파티를 열었다는 스캔들에 휘말리고 여론의 비난을 받는다. 그러나 정작 당사자는 시종일관 노코멘트로 일관한다. 주변에선 부인하지 않으면 불리하다고 조언했으나 그녀는 요지부동이었다. 결국 스캔들은 사실이 아님이 밝혀지고, 부통령에 오른다. 대통령은 그녀에게 "왜 진작 말하지 않았느냐?"고 묻는다. 그녀는 대답했다.

"부통령에게 중요한 것은 사생활이 아니라 능력이라는 게 제 소신입니다. 스캔들이 사실과 다르다고 제가 말하는 순간 부통령 자격 조건에 사생활이 포함된다는 걸 인정하는 셈이 됩니다. 정치 생명이 위협받는다고 해서 저의 원칙을 버릴 수는 없었습니다."

많은 생각을 하게 만든 장면이었다. 원칙은 손해를 감수하면서까지 지킬 때 진정한 의미가 있음을 그녀는 보여주었다. 눈앞에 보이는 이익을 과감히 버리고 원칙에 충실하면 당장은 손해인 듯 보이지만 결국 그것이 옳은 결정이었음을 알게 된다.

원칙을 지키기 위해서 때론 용기가 필요하다. 더구나 상황이 어려울 때 원칙을 지키는 것은 상당한 용기가 필요한 일이다. 거기다 혼자 조용히 손해를 보는 것도 아니고 주위의 비난이나 오해까지 받으면 더욱 견디기 어려운 노릇이다. 이러한 용기는 회사를 경영하다보면 더욱 필요할 때가 많다.

외국 회사에서 1천만 달러 규모의 인수 제의를 해왔을 때 눈앞의 돈보다는 국내 소프트웨어 산업 보호와 직원들에 대한 책임감이 내 원칙이었다. '내가 왜 안연구소를 만들었는가' 라는 본질에 충실했기에 회사를 넘기는 일 따위는 생각할 수도 없었다.

회사 차원에서 보면 '핵심 가치' 가 바로 지켜가야 할 원칙이다. 구성원 모두가 믿고 실천하며, 창업자나 CEO는 물론 구성원이 바뀌어도 지속적으로 유지되는, 사람에게 '영혼' 과 같은 것이 기업의 핵심 가치이며 이것이 곧 회사의 원칙이라 할 수 있다.

만약 회사가 사라질 위기에 처했는데 회사의 핵심 가치를 어기면 살아날 수 있는 비즈니스 기회가 있다고 하자. 이때 회사를 존속시키기 위해 핵심 가치를 거슬러야 할까? 차라리 회사가 스스로 소멸하는 것이 옳다고 생각한다. 기업이 스스로 설정한 핵심 가치를 지키지 않았다면, 설령 그 회사가 생명을 이어가더라도 생존할 존재 이유 자체는 사라지는 것이기 때문이다.

안연구소는 다음과 같은 세 가지 핵심 가치를 가지고 있다. '자신의 발전을 위해 끊임없이 노력한다', '존중과 신뢰로 서로와 회사의 발전을 위해 노력한다', '고객의 소리에 귀 기울이고 고객과의 약속은 반드시 지킨다' 가 그것이다. 단순한 것처럼 보이지만 이 세 가지를 충실하게, 그것도 조직원 전원이 지키는 것은 절대 쉬운 일이 아니다.

그러나 백보 양보하더라도 안연구소에서 절대로 벌어지지 않을 일은 고객을 속여서 돈을 버는 일이다. 백신이 바이러스를 바이러스라고 진단하는 것은 당연하지만, 어떤 백신은 바이러스가 아닌 것을 바이러스라고 잘못 진단하는 경우가 있다. 그러나 일반 사용자들은 바이러스를 분석할 수 있는 전문 능력이 없기 때문에, 잘못 진단한 백신을 성능이 더 좋은 것으로 오해할 수 있다. 이 백신으로는 다른 백신이 못 잡는 것도 잡는다는 식이다. 한술 더 떠서 사용자의 무지를 악용하여 정상인데도 치료하게 하고 돈을 청구하는 경우도 있을 수 있다.

그러나 우리 회사에서는 핵심 가치에 대해 모두가 확실하게 인식하고 있고 이러한 역사가 쌓이다보니 구성원 모두의 마음속에서 절대로 있을 수 없는 일, 물러날 수 없는 선에 대한 생각이 굳건히 자리잡게 되었다. 바이러스 진단의 경우에도 여러 사람의 손을 거치기 때문에, 한 사람이 자칫 나쁜 마음을 먹는다고 할지라도 다른 사람들이 그대로 놔두지 않게 되는 것이다. 회사가 망하는 일이 있더라도 절대로 물러나거나 타협할 수 없는 선에 대한 이러한 공감대는 내가 없는 상황이 되더라도 반드시 지켜지리라 확신한다. 핵심 가치가 가지는 의미는 그 자체도 중요하지만 동시에 물러날 수 없는 선을 만들어준다는 데 있기 때문이다.

어려울 때 해야 할 일

CEO AHN CHEOL SOO

한 사람의 인생도 그렇지만 여러 사람이 모인 조직도 작든 크든 흥망성쇠가 있다. 태어나서 죽을 때까지 좋은 일만 있는 사람은 없는 것과 마찬가지로, 한결같이 잘되기만 하는 단체나 국가는 인류 역사상 존재하지 않았다.

굳이 새옹지마(塞翁之馬)라는 표현을 쓰지 않더라도, 좋은 시기가 있은 다음에는 어려운 시기가 오게 마련이고, 어려운 시기를 잘 보내면 다시 좋은 시기가 오게 돼 있다.

그런데 어려운 시기를 어떻게 보내느냐에 따라 그 반복의 주기도 달라질 수 있다. 개인의 인생이나 조직의 역사에서 중요한 점은 좋은 시기에 얼마나 잘되느냐 또는 가파르게 성장하느냐가 아니라, 어려운 시기를 얼마나 잘 보내느냐에 달려 있다고 해도 과언이 아니다.

어려운 시기는 누구에게나 닥친다. 이때를 슬기롭게 보내는 개인이나 조직은 다시 흥하는 시기를 맞이하지만, 극복하지 못하는 개인이나 조직은 망하게 마련이다.

나 역시 어려운 시기를 겪어보았고 주변에서도 많이 보았고 보고 있다. 그러면서 나름대로의 지혜를 얻을 수 있었다. 개인이나 조직이 어려울 때 해야 할 일이 무엇인지 경험 속에서 알게 된 것이다.

우선, 서로가 서로를 격려하는 사기 진작이 필요하다.

어려운 시기를 오랫동안 겪다보면 누구나 사기가 저하되기 십상이다. 원론적인 이야기 같지만 이러한 때는 스스로도 마음을 다잡고 서로를 격려해 주어야 한다. 그래야 희망을 가지고 열심히 노력할 수 있다. 사기를 잃지 않는 것, 그것은 일의 결과에 매우 큰 영향을 미친다.

그리고 유혹에 빠지지 말아야 한다.

어려운 시기가 지속되면 편법적이거나 정당하지 못한 수단을 써서라도 고통에서 벗어나고 싶은 것이 일반적인 사람이나 조직에서 흔히 볼 수 있는 일이다. 그런데 정당하지 못한 방법을 사용하면 단기적으로는 쉽게 문제가 해결되는 것처럼 보이지만 결국은 더 큰 어려움을 불러오게 된다. 정당하지 못한 방법을 사용했다는 사실이 주위에 알려져 더 심각한 문제가 생길 수 있으며, 설령 알려지지 않는다 하더라도 근본적인 처방이 될 수 없어 결코 어려운 상황에서 헤어나지 못하기 때문이다.

또한, 문제점을 파악하고 고쳐야 한다.

잘되는 시기에는 문제점이 보이지 않는 법이다. 보이더라도 바빠서 고칠 만한 여유가 없는 경우가 많다. 그러니 어려운 시기야말로 그동안 손 대지 못했던 문제점을 파악하고 이를 바로잡을 수 있는 절호의 기회이다. 어려운 시기에 문제점을 파악하고 고쳐놓는 개인이나 조직만이 대내외 여건이 좋아졌을 때 다시 좋은 시기를 맞이하고 발전할 수 있다.

이러한 세 가지는 개인이나 작은 조직뿐만 아니라 국가와 같은 큰 조직에도 마찬가지로 해당된다. 지금 우리가 겪고 있는 어려운 시기에 이러한 원칙만 잘 지켜나간다면, 우리는 다시 도약할 수 있다고 믿는다.

그리고 어려운 선택을 해야 하는 상황이 오면 항상 스스로에게 상기시키는 단어가 있다. 바로 '뜨거운 가슴과 차가운 머리' 이다. '뜨거운 가슴' 은 아무리 어렵더라도 결국은 잘될 것이라는 열정을 뜻하며, '차가운 머리' 는 현실에 대한 냉철한 인식을 뜻한다. 서로 모순되는 의미 같지만 열정과 냉철함이 동시에 갖추어질 때 올바른 선택과 좋은 결과가 가능하다는 것이 나의 믿음이다.

세계적인 경영학자인 짐 콜린스가 쓴 『좋은 기업을 넘어 위대한 기업으로(*Good to Great*)』를 읽다보면 '스톡데일 패러독스(Stockdale Paradox)' 라는 것이 나온다.

이 말은 베트남 전쟁 때 하노이 포로 수용소에 수감된 병사들 중에서 미군 최고위 장교였던 스톡데일 장군의 이름에서 따왔다. 그는 수용소에 갇혀 있었던 8년 동안 모진 고문을 당하면서도 많은 포로들이 고향으로 돌아올 수 있게 만든 전쟁 영웅이다.

그에 따르면 수용소에서 살아남았던 사람들은 일반적인 통념과는 달리 낙관주의자들이 아니라 현실주의자들이었다고 한다.

낙관주의자들은 다가오는 크리스마스에는 나갈 수 있을 것이라고 스스로와 주위 사람들에게 희망을 불어넣다가, 크리스마스가 지나면 다시 다가오는 부활절에는 나갈 수 있을 것이라고 기대하는 일을 반복하면서, 결국에는 상심해서 죽는다고 한다. 반면에 현실주의자들은 크리스마스 때까지는 나가지 못할 것이라고 생각하면서 그에 대비하는 마음가짐을 가짐으로써 결국 살아남을 수 있었다고 한다.

스톡데일 패러독스는 아무리 어려워도 결국에는 성공할 거라는 믿음을 잃지 않으면서, 동시에 그것이 무엇이든 눈앞에 닥친 현실 속의 가장 냉혹한 사실들을 직시하는 것이 개인이든 기업이든 성공할 수 있는 근본적인 사고방식임을 가르치고 있다. 결국에는 성공할 것이라는 믿음과 눈앞에 닥친 냉혹한 현실을 결코 혼동하지는 말아야 한다.

위대한 CEO 중 한 사람인 허니웰 사의 래리 보시디가 램 차란과 함께 쓴 『실행에 집중하라(*Execution*)』에서도 비슷한 생각을 접할 수 있다. 훌륭한 회사에서 똑똑한 CEO와 최고의 사람들이 모여 좋은 비전과 올바른 전략을 세워 일을 하는데도 제대로 된 결과를 내지 못해 결국 경쟁에서 뒤처지는 경우가 갈수록 늘어나고 있는데, 그 근본적인 원인은 실행 능력의 부족이라고 했다.

실행 능력의 부족은 관리자들이 높은 수준의 전략에만 몰두하고 실행 과정 또는 현장에 깊이 관여하지 않는 데서 비롯된다고 한다. 이러한 경우 근거도 없이 회사가 잘 운영되고 있다고 믿고 있다가 서서히 나락으로 추락하고 만다.

내 생각대로 해석하자면 '뜨거운 가슴과 차가운 머리'가 아니라 '뜨거운 머리와 차가운 가슴'을 가졌기 때문이다. 현실에 대한 냉철한 인식 대신에 현실에 근거하지 않은 막연한 낙관(뜨거운 머리)과 현장 경영에 대한 무지 또는 부족한 열정(차가운 가슴)이 회사를 실패하게 만드는 것이다.

지금이 우리에게는 '뜨거운 가슴과 차가운 머리'가 필요할 때가 아닌가 한다. 냉철한 현실 인식, 과거에 대한 자기 반성, 현실에 근거한 치밀한 계획, 그리고 구체적인 결과를 이끌어내는 실행 능력과 함께 결국에는 성공할 것이라는 믿음과 열정이 현재 우리에게 가장 필요한 것이다.

절반의 책임을 믿는 사람

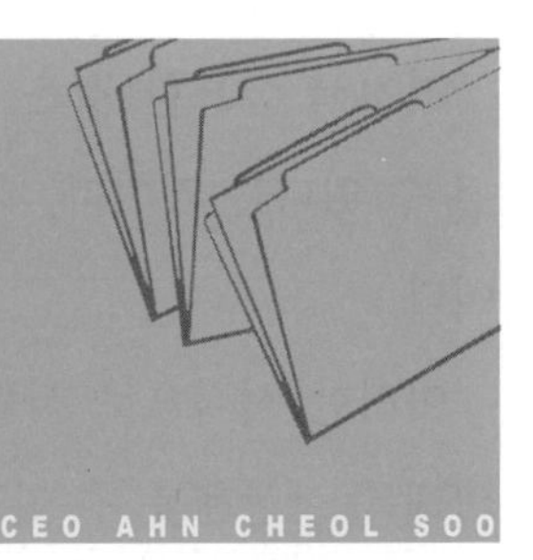

CEO AHN CHEOL SOO

저마다 사람을 판단하는 기준이 있다. 나 역시 나름대로 사람을 판단하는 기준들을 가지고 있다. 그 가운데 중요하다고 생각하는 기준 중의 하나가 바로 '절반의 책임을 믿는 사람인가?' 하는 것이다.

살아가다보면 잘되는 경우도 있고 잘못되는 경우도 있다. 그리고 잘못 되었을 경우에는 그 원인이 되는 이유가 분명히 존재한다. 자신의 잘못으로 그런 결과가 빚어진 경우도 있고, 주위 여건상의 문제로 잘못된 경우도 있다.

그렇지만 대개 잘못되면 자신보다는 주위의 잘못, 타인의 잘못으로 그 탓을 돌리기가 십상이다. 그러다보면 자신의 잘못도 제대로 인식하지 못한 채 넘어가버리고, 다음에 다시 같은 실수를 반복하여 일을 그르치기 쉽다.

따라서 그 어떤 경우에도 책임의 절반은 나에게 있다고 생각하고, 내게 고칠 점은 없는지를 먼저 고민하고 노력한다면 그 사람은 다음에 같은 실수를 반복하지 않을 것이다. 이것이 내가 생각하는 '절반의 책임을 믿는 사람' 이다. 특히 이러한 사람은 다른 사람과 같이 일하거나 조직 생활에서 큰 발전을 이룰 수 있다고 생각한다.

여기서 중요한 것은 마음먹기에 따라서 얼마든지 이러한 사람이 될 수 있다는 것이다. 즉 자신의 미래는 자신이 결정할 수 있는 문제이다.

이러한 시각으로 사람을 대하면 현재의 모습만으로도 그 사람의 미래를 상상해볼 수 있고 판단할 수 있다. 그리고 남을 판단할 때뿐만 아니라 나 스스로도 그러한 사람이 되고자 노력한다.

일이 잘못되었을 때, 이러한 절반의 책임과 함께 생각해야 할 문제가 바로 '내 일만 잘하면 된다'는 생각이 주는 폐해이다.

그러한 개인적인 사고 방식은 같이 일하는 사람이나 조직을 불행에 빠뜨린다. '내 일만 잘하면 되고, 우리 팀만 잘하면 되고, 우리 부서만 잘하면 된다'는 생각은 곧 '내 일은 잘되는데, 우리 팀은 잘되는데, 우리 부서는 잘되는데'라는 생각으로 이어져 잘못의 책임을 다른 사람이나 주변 환경에게 떠넘기는 결과를 낳고 그것은 결국 불신의 벽을 쌓게 된다.

불신의 벽은 사람들이 적극적으로 서로 감정을 표현하면서 싸웠을 때 생기는 것이 아니라 오히려 상대 탓만 하면서 마음을 닫아버릴 때 생기기 쉽다. 그리고 마음을 닫을 때 생겨나는 벽은 더욱 견고해 여간해서는 부수기가 어렵다.

이런 상태가 개인 대 개인을 넘어서, 조직간에 발생한다면 문제는 더욱 심각해진다. 팀간, 부서간에 커뮤니케이션이 제대로 이루어지지 않고, 서로가 서로에게 피해 의식을 가지면 책임을 전가 하는 불행한 상황에 이르게 된다. '나는 열심히 하는데, 쟤 때문에 안 된다'든지,

'우리 팀은 열심히 하는데 저 팀 때문에 안 된다' 라고 생각하고 마는 것이다. 그런 상태에서 조직이 해내는 일이 제대로 될 리가 없다.

그리고 그런 과정에서 자기 부서가 아닌 다른 부서의 동료들은 동료라고 생각하지 않는 의식 구조가 자리잡게 되고 조직 전체가 가라앉게 된다. 물론 이러한 현상은 회사뿐만 아니라 국가와 같은 큰 조직에서도 마찬가지일 것이다 .

맡은 일을 열심히 한다는 것은 기본적이며 아주 당연한 일이다. 그런데 그것이 만약 동료와의 상호 존중이나 고객 또는 외부와의 약속 지키기로 이어지지 않고 자기가 맡은 부분만 열심히 하는 것으로 끝이 난다면, 결국 그 사람이나 그 조직은 외부로부터 버림받을 수밖에 없다.

사람들이 아무도 원하지 않는, 우리 사회에 아무런 공헌도 하지 못하는 일을 혼자서 열심히 하고 있다면 그게 무슨 소용이란 말인가?

자신의 인생을 위해서나 자신이 몸 담고 있는 조직을 위해서나 '절반의 책임' 마인드를 가져야 하며, '나만 잘하면 된다' 는 소극적인 인식을 버릴 때만이 진정으로 발전하는 개인, 발전하는 조직이 생겨날 것이다.

안철수가 말하는 안철수

CEO AHN CHEOL SOO

회사 또는 조직을 만든 사람의 가치관이나 스타일 등을 안다면 정확한 커뮤니케이션에 도움이 될 뿐 아니라, 그 회사의 역사와 문화를 이해하는 데도 도움이 된다. 직원들에게 가끔 내가 지키고자 하는 원칙이나 사고 방식에 대해 이야기하는 것도 그러한 연유에서이다.

물론 개인의 생각과 스타일을 회사가 닮는 것이 반드시 바람직하다고는 생각하지 않는다. 그럼에도 불구하고 이야기를 하는 이유는, 우리 회사 직원들이 나를 앎으로써 회사의 역사와 문화를 더 잘 이해할 수 있고, 또한 그런 상태에서 좋은 면은 유지하고 바람직하지 못한 면은 바꾸어나가는 노력을 하기 바라기 때문이다.

어떤 사람을 이야기할 때 가장 중요한 것은 가치관이 아닐까 한다. 내 개인적인 가치관 중에서 가장 중요하게 여기는 것은 정직과 성실 그리고 끊임없이 공부하는 자세, 이렇게 세 가지이다. 얼핏 구태의연해 보이기까지 하는 이 세 가지를 일일이 설명할 필요는 없을 것이다.

분명한 것은 이러한 가치관들이 CEO로서의 행동 기준과 경영 철학의 근간이 되고 있다는 사실이다. 그리고 이 가치관은 우리 회사의 핵심 가치 속에도 녹아들어 있다. 즉 정직은 고객과의 약속을 반드시 지키는 것에, 성실은 세 가지 핵심 가치 모두에, 공부하는 자세는 자신의 발전을 위해서 노력한다는 것에 스며들어 있다.

이러한 가치관을 뿌리로 하여 내게는 또한 '삶의 원칙'과 '판단 기준'이라는 현실적 줄기가 있다. 살아가는 동안 중심을 잡아줄 삶의 원칙은 나 자신에게만 적용하는 것과 다른 사람과의 관계에서 적용하는 것으로 나눌 수 있을 것이다. 내가 지키고자 하는 '삶의 원칙'을 소개하자면 다음과 같다.

첫째, 매순간에 최선을 다하고, 끊임없이 변화하며 발전하기 위해서 노력한다.

둘째, 목표를 세우고 스스로를 채찍질한다.

셋째, 결과도 중요하지만 과정을 더 중요하게 생각한다.

넷째, 스스로를 다른 사람과 비교하지 않으며, 외부 평가에 연연하지 않는다.

다섯째, 항상 자신이 모자라다고 생각하며, 조그만 성공에 만족하지 않으며, 방심을 경계한다.

여섯째, 기본을 중요하게 생각한다.

일곱째, 천 마디 말보다 하나의 행동이 더 값지다고 생각한다.

나아가 다른 사람과의 관계에서 지키고자 하는 삶의 원칙은 다음과 같다.

첫째, 나이와 성별, 학벌 등으로 차별을 두지 않는다. 중요한 것은 능력이다.

둘째, 다른 사람의 의견을 존중하고, 각자의 다양성을 인정한다.

셋째, '너는 누구보다 못하다'는 식으로 다른 사람끼리 비교하지 않는다.

넷째, 다른 사람을 나 자신의 이익을 위해서 이용하지 않는다.

다섯째, 내 스타일을 다른 사람에게 강요하지 않는다.

살아가면서 나 스스로가 만든 삶의 원칙들을 100% 지켜냈다고는 자신할 수 없다. 그렇지만 충실히 지키려고 노력해 왔다고는 당당하게 말할 수 있다.

삶의 원칙 못지않게 '판단 기준' 또한 인생에서 무척 중요하다. 판단 기준으로 선택을 하게 되고 그러한 선택들 하나하나가 인생을 만들어나가는 것이기 때문이다. 나는 결정을 내려야 할 때는 다음과 같은 세 가지 기준을 되새긴다.

첫째, 원칙을 지킨다.

매사가 순조롭고 편안할 때는 누구나 원칙을 지킬 수 있다. 그렇지만 원칙을 원칙이게 만드는 힘은 어려운 상황, 그것을 지킴으로써 손해를 볼 것이 뻔한 상황에서도 지켜냄으로써 생겨난다. 그처럼 힘든 상황에서도 원칙을 지켜간다면, 언젠가는 큰 힘을 발휘하게 될 것이라고 믿는다.

둘째, 본질에 충실한다.

사안에 대한 여러 가지 선택이 존재할 때는, 본질과 직접적인 관련이 있는 것들만 고려해서 판단을 내리면 옳은 결정을 할 수 있다.

예를 들어서 돈과 명예, 주위의 평판 등은 본질이라기보다는 열심히 노력한 후에 얻을 수 있는 결과이기 때문에, 판단을 할 때 고려하지 않는 것이 바람직하다. 결과에 해당하는 것들을 제외하고 나면 고려해야 할 점들이 훨씬 단순해져서 올바른 판단에 한걸음 더 다가갈 수 있다.

셋째, 장기적인 시각으로 본다.

단기적인 이익이나 승부에 집착하다보면 당장에는 작은 이익을 볼 수 있을지 몰라도 장기적으로 보면 실패할 가능성이 높아진다. 눈앞의 순간적인 이익에 연연하기보다는 장기적인 관점에서 옳은 쪽으로 판단하고 차근차근 일을 진척시켜 나가는 것이야말로 결국 참된 성공에 이르는 길이라고 믿는다. 성공이라는 것의 본질 자체가 단기적인 것이 아니기 때문이다.

이제는 레오나르도 다 빈치처럼 한 사람의 천재가 모든 일을 다 해내는 시대는 지났다. 여러 분야의 전문가들이 힘을 합해서 하나의 큰 일을 이루어나가는 시대가 된 것이다. 이러한 환경에서 필수적인 것은 다른 분야의 사람들에게 자신의 전문 지식을 정확하게 전달하는 능력이다. 물론 여기에는 다른 분야의 사람들이 하는 말을 정확하게 이해하는 능력이 포함된다. 이런 능력이 없는 전문가는 자신이 맡은 부분의 일은 잘해낼 수 있지만, 그 일의 결과를 다른 사람에게 전달해서 더 높은 수준의 성과로 만들어내지는 못한다.

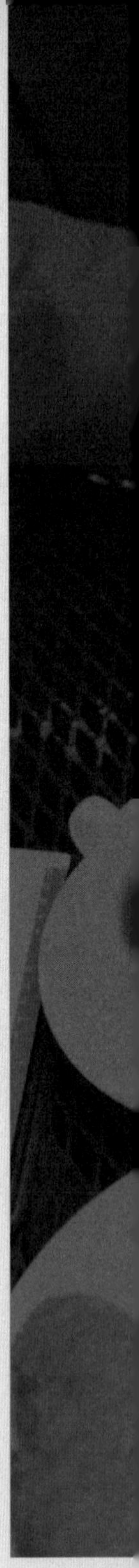

전문가와 리더를 기다리는 시대

2

책임 분산과 다수의 무지

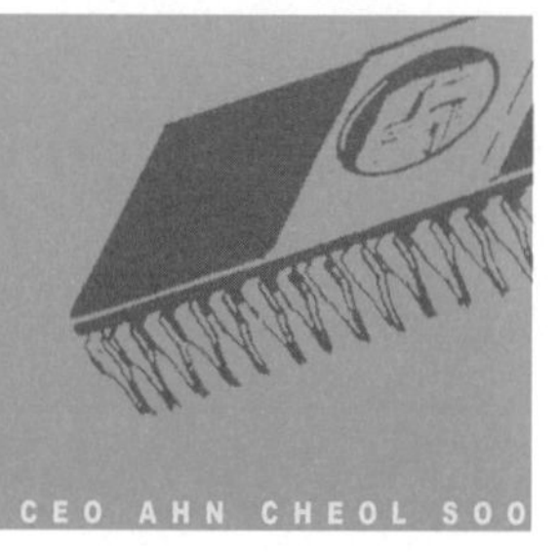

CEO AHN CHEOL SOO

어떤 모임에서 심리학과 교수님 한 분과 이야기를 나누다가, 로버트 치알디니의 『설득의 심리학(*Influence: Science and Practice*)』과 말콤 글래드웰의 『티핑 포인트(*Tipping Point*)』에도 나오는 '길거리 살인 사건'으로 화제가 옮겨가게 되었다. '길거리 살인 사건'은 심리학에서는 아주 유명한 사건으로, 1964년 뉴욕의 퀸스에서 20대 여성이 밤늦게 귀가하다가 괴한에게 목숨을 잃은 실화이다.

뉴욕은 워낙 거대하고 복잡한 도시라 사건 발생 초기에는 세간의 주목을 끌지 못했다. 그런데 사건 발생 일주일 후 당시 《뉴욕 타임스》의 편집국장인 로젠탈(*Rosenthal*)이 경찰서장과 점심식사를 하던 중에 우연히 그 사건의 전모를 들은 것이 계기가 되어 세상에 알려지게 되었다.

로젠탈은 그 여성이 아무도 모르는 비밀스러운 곳에서 살해당한 것이 아니라, 수많은 목격자들 앞에서 오랜 시간 고통을 당하면서 서서히 죽어갔다는 것에 큰 충격을 받았다.

살인자는 그녀를 쫓아다니며 30분에 걸쳐서 세 차례나 칼로 찔렀고, 그녀는 비명을 지르며 필사적인 저항을 하였다. 그러나 창문을 통해서 그 광경을 지켜보았던 38명 중 그녀를 도우러 나온 사람은 아무도 없었으며, 경찰에 신고한 사람조차 없었다. 살인자는 처음 피해자를 칼로 찌른 다음에는 일단 숨었지만 아무도 나오지 않고 경찰이 출동하는 기척도 보이지 않자 다시 흉기를 휘둘러서 결국 그녀를 살해하고 만 것이다.

로젠탈은 이 사건을 《뉴욕 타임스》 1면 톱기사로 대서특필하였고, 전 세계가 이 소식에 망연자실하였다.

수십 명이 보고 있는 앞에서 한 여성이 살해당한 어처구니없는 사건의 이유를 알기 위해 38명의 목격자들을 조사했는데 한결같이 자신들이 왜 그랬는지 모르겠다고 답했다. 모두 선량하고 정상적인 사람들인데 30분 동안 경찰에 연락한 사람이 단 한 명도 없었다는 것에 대해, 언론은 도시화로 인한 인간성 파괴와 소외 현상으로 규정했다. 사람들은 경악했다.

그런데 라타네(Latane)와 달리(Darley)라는 심리학자는, 오히려 너무 많은 목격자가 있었기 때문에 경찰에 신고하지 않은 것이라는 새로운 해석을 내놓았다.

38명이나 되는 사람들이 한 여자가 죽어가는데도 가만히 있었던 가장 큰 이유로 우선 '책임 분산'을 들었다. 한 사람만 있을 때와는 달리 여러 사람이 있을 때는 책임이 분산되어 '내가 아니어도 누군가가 도와주겠지'라고 생각한다는 것이다.

둘째 이유로는 '애매성과 불확실성'을 들었다. 처음 당하는 일이며 상황을 파악하기가 어렵기 때문에 어떻게 대처해야 좋을지 판단하지 못하는 것이다.

셋째가 '다수의 무지' 였다. 대부분의 사람들은 애매한 상황에서는 자신의 판단이 맞는지 확인하기 위해서 다른 사람의 행동을 관찰하여 이른바 '사회적 증거' 를 찾으려고 한다. 그런데 그들도 마찬가지로 스스로 판단하지 못하고 다른 사람의 행동을 관찰하며 사회적 증거를 찾기 때문에 아무도 움직이지 않게 되고 결국 '다수의 무지' 가 발생한다는 것이다.

이런 이유로 생기는 불상사를 예방하려면, 어떤 사람이 위험한 상황에 처해 있으며 도움이 필요하다는 사실을 분명하게 인식하고 또한 다른 사람에게도 인식하게 하는 것이 중요하다고 한다. 즉, 문제가 있어 보이는 상황이나 사람을 보면 무슨 일인지 정확하게 알아보고 적극적으로 그에 필요한 조치를 취해야 한다는 것이다. 반대로 자신에게 이상이 있어 도움이 필요한 경우가 생길 때는 지나가는 사람 중 한 사람을 지목하고 병원에 데려가달라는 구체적인 도움을 요청해야 한다는 것이다.

'길거리 살인 사건' 과 그 해석은 사람들이 모인 조직이라면, 그 종류나 특성에 상관없이 적용할 수 있을 것이다. 조직의 규모가 작을 때는 자신이 그 일을 하지 않으면 대신할 사람이 없기 때문에 책임을 회피하는 일이 거의 일어나지 않는다. 그러나 조직이 커지고 많은 사람이 함께 일을 하다보면 책임 분산의 소지가 생긴다.

또한 다른 사람이 움직이지 않으면 눈치를 보다가 '큰 일이 아니겠지' 라는 생각으로 자신도 움직이지 않는, 이른바 다수의 무지 현상이 발생할 수 있다. 이러한 일은 회사뿐만 아니라 국가 차원에서도 흔히 발생할 수 있는 일이다.

이때 조직의 리더는 현상을 명확하게 인식하고 조직 관리와 업무 조정에 나서는 것이 중요하다. 또한 조직원들이 책임 분산과 다수의 무지에 대해서 스스로 경각심을 가질 수 있도록 알려주어야 한다.

또한 리더뿐만 아니라 구성원들도 위기 상황을 인식하고 자발적으로 행동할 수 있어야 한다. 큰 조직에 속해 있다 할지라도 어떠한 마음가짐으로 어떻게 행동하느냐에 따라서 한 사람이 커다란 차이를 만들어낼 수 있다. 예를 들어서 대기업으로 분류되기 시작하는 300명 정도의 조직이 있다고 할 때 한 사람이 차지하는 산술적인 비중은 0.3%에 불과해서 극히 미미해 보일 수 있지만, 타 부서를 포함하여 그 사람과 같이 일하는 사람들의 숫자를 포함해 생각해 본다면 미칠 수 있는 영향력은 굉장히 크다.

이러한 마음가짐으로 단순히 군중 속의 한 사람이 되지 않고 적극적으로 가치를 찾는 사람만이 다른 사람과 차별되는 경쟁력을 가질 수 있을 것이다.

조직 구성원이 가져야 할 마음가짐

회사의 한 직원이 소개팅 한 경험을 이야기한 적이 있다. 처음 인사를 나눈 후 상대 여성이 던진 첫마디가 "조직원이세요?" 였다고 한다. 그 직원은 머리를 짧게 자른 직후에 갑자기 하게 된 소개팅이어서 임시방편으로 무스로 머리를 빳빳하게 세우고 나갔던 참이라 엉겁결에 손사래를 쳤다고 한다.

그녀가 "난 비조직원이라 가끔 조직원이 부러울 때가 있어요" 라고 말하는 것을 듣고서야 그는 '조직원' 이 '조폭' 이 아니라 직장인을 의미한다는 것을 알아차렸다고 했다. 그녀는 프리랜서였던 것이다.

이 짧은 이야기를 들으며 나는 혼자 일을 하는 프리랜서와 조직에 소속되어 있는 사람과의 차이를 다시 떠올리게 되었다. 회사를 다니는 사람은 '조직 구성원' 또는 '조직원' 인 것이고, 그 단어는 여러 가지 의미를 함축하고 있다.

기업은 학생들이 모인 학교나 프리랜서들과는 다른 특성을 가지고 있다. 학생이 돈을 내고 교육을 받는 학교와 직장인이 돈을 받고 일을 하는 기업이 그 근본부터 다른 것은 당연하다. 또한 프리랜서들은 자기가 맡은 일을 달성하는 것이 최우선임에 비해서, 기업과 같은 조직에서는 공동의 목표가 무엇보다도 중요하다는 것이 근본적인 차이라고 할 수 있다.

조직이 가지는 진정한 뜻은 '혼자서는 할 수 없는 의미 있는 일을 여러 사람이 함께 이루어나가는 것' 이다. 즉 조직이 존재하고 조직원으로 일을 하는 이유는 혼자서도 할 수 있는 일을 단순히 '모여서' 하기 위함이 아니라, 혼자서는 할 수 없는 일을 서로 '힘을 합해서' 해내기 위함이다.

그러나 기업에 몸을 담고 있는 사람들 가운데서도 학생이나 프리랜서의 마인드를 가지고 있는 경우를 가끔 볼 수 있다. 자기의 발전에만 관심이 있거나 자기가 맡은 일만 잘하면 그것으로 할 바를 다했다고 생각하는 것이다. 그러나 조직에 속한 사람이라면 자기 일뿐만 아니라, 다른 사람이나 전체 조직에 대해서도 함께 생각하는 마음가짐이 필요하다.

만약에 개인의 발전이나 목표가 더 중요하고, 어떤 일을 같이 이루어나가는 데서 성취감과 보람을 느끼지 못하는 사람이라면, 조직에 속해 있는 것보다는 프리랜서로서 일을 하는 것이 더 적합할 것이다.

이러한 관점에서, 조직 구성원으로서 기본적으로 갖춰야 할 상식이 몇 가지 있다.

첫째가 공동의 목표에 대한 인식이다. 조직에서는 구성원 한 사람 한 사람이 모두 맡은 일을 잘했어도 여러 가지 이유로 전체의 목표를 달성하지 못했을 때는 각 개인들의 노력은 물거품이 되고 만다. 따라서 구성원들은 각자가 일을 맡아서 하는 근본적인 이유는 전체의 목표를 달성하기 위한 것임을 항상 명심해야 한다.

일을 할 때는 그 일이 전체에서 어떤 부분을 차지하는지, 그리고 전반적인 흐름은 어떠한지, 자신뿐만 아니라 다른 사람들과의 연결 고리인 프로세스상에서의 개선점은 없는지 등도 살펴보아야 한다.

또한 조직의 일을 통해서 자신도 같이 발전할 수 있도록, 조직의 목표와 개인의 목표 사이의 상관 관계를 찾기 위한 적극적인 노력도 필요하다.

둘째, 조직의 가치관을 공유하는 일이다. 조직에서 여러 사람들이 모여서 같이 일을 하고 역사가 쌓이다보면 나름대로 독특한 문화와 판단 기준, 가치관 등이 자리잡게 된다.

이렇게 형성된 조직 문화 가운데는 외부 사람이나 처음 조직에 동참하는 사람이 보기에 이해가 가지 않는 부분이 있을 수 있다. 그러나 계속 발전해 온 조직이라면 나름대로의 고유한 장점이 분명히 존재한다는 인식하에, 조직의 문화와 가치관을 이해하고 받아들이려는 노력이 필요하다. 조직 문화를 좋은 방향으로 개선하려는 노력도, 이러한 존중과 이해가 기반으로 깔려 있어야 가능하기 때문이다.

셋째, 구성원 서로에 대한 존중과 배려이다. 서로를 잘 아는 가족들끼리도 마음이 맞지 않는 경우가 있는데, 살아온 환경이 다른 사람들끼리 힘을 합해서 일을 하는 것이 쉬운 일은 아니다. 이럴 때 필요한 것이 다른 사람을 존중하고 배려하는 마음이다. 또한 자신의 발전뿐만 아니라 동료나 후배 등 다른 사람의 발전에도 관심을 가지는 자세가 중요하다.

구성원들간에 서로를 이해하려는 노력은, 특히 기존 구성원들과 새롭게 조직에 들어온 사람들 사이에서는 필수적인 것이다. 조직이 성장하면서 기존의 구성원들도 발전하고, 새롭게 능력 있는 사람들이 영입되는 것은 참 좋은 현상이다. 그러나 처음 같이 일을 시작할 때는 양쪽 모두 일종의 문화적인 충격이 있을 수 있다. 이때 가장 중요하고 기본적인 것은 자신들이 공동의 목표를 가지고 공동으로 외부의 적과 싸우고 있다는 사실을 인식하는 일이다. 처음에는 서로 이해가 안 되는 점이 있어도, 우선 같은 편이라는 공동체 의식과 신뢰감이 필요할 것이다.

기존 구성원들은 자신에게도 고치고 발전시켜야 할 부분이 많다는 인식을 가지고 새로 들어온 사람들의 열정과 아이디어를 적극적으로 받아들이는 자세가 필요하다. 또한 새로 들어온 사람들도 지금까지 발전해 왔던 조직의 장점에 대한 존중을 기반으로, 개선을 위한 논리적 설명과 공감대 형성을 위해서 노력해야 한다.

넷째, 상대방의 비어 있는 부분은 내가 채운다는 마음가짐이다. 조직 내에서 아무리 업무 분장을 잘해도 일의 구분에 대해서는 사람마다 인식의 차이가 있을 수 있다. 즉 내가 그어놓은 금과 상대방이 그어놓은 금이 일치하지 않을 수 있는 것이다.

이러한 경우에 조금이라도 손해 보지 않으려는 악착 같은 마음으로 자신이 그은 금을 끝까지 지키는 사람은 일은 조금 덜 할지는 몰라도 그 과정에서 조직 전체의 성과는 떨어지게 마련이다. 그리고 결국은 조직의 저조한 성과 때문에 당사자 자신도 피해를 볼 수밖에 없다. 반면에 폭을 넉넉하게 가지고 일을 하는 사람은 고생은 되겠지만, 장기적으로 전체에 기여하는 사람으로 인정받을 수 있을 것이다.

다섯째, 전체 조직 활동에 대한 참여이다. 조직마다 다르겠지만 대부분의 조직들에서 구성원들이 하나가 될 수 있도록 다양한 단체 활동이나 행사를 진행하고 있다. 안연구소에서도 매월 전체가 모이는 월례회를 비롯하여, 매년 두 번씩의 전사원 교육, 체육 대회 등을 치르고 있다.

이러한 조직 전체의 행사를 통해서 공동의 목표에 대한 인식과 조직이 가지고 있는 가치관에 대한 이해는 물론이며, 다른 부서의 동료들과도 친해질 수 있는 좋은 계기를 만들 수 있다. 이러한 수확들은 자기가 맡은 일을 할 때도 큰 도움이 되고, 조직원으로서 경쟁력을 강화하는 데도 크게 기여할 수 있다. 따라서 공식적인 업무 때문에 피치 못해서 빠지는 경우를 제외하고는 이러한 활동에 적극적으로 참여하는 것이 조직원으로서 기본적으로 갖추어야 할 자세이다.

조직원으로서 이러한 다섯 가지의 마음가짐을 갖출 때, 조직은 물론이며 본인도 발전하고 성공할 수 있을 것이다.

서로에 대한 존중과 배려

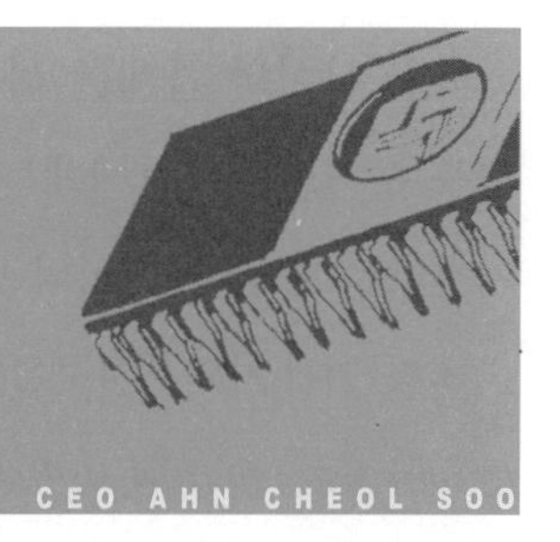

CEO AHN CHEOL SOO

조직이 어려워질 때는 구성원들도 위기감을 느끼면서 불안해 하게 마련이다. 조직이 성장하더라도 변화의 물결이 출렁일 때면 마찬가지로 불안해 하고 안정되지 않는 것에 답답해하는 경우가 많다.

그러나 세상에서 변하지 않는 것은 '변하지 않는 것은 없다'는 말뿐이라는 이야기가 있듯이, 개인이나 조직이 세상에서 살아남기 위해서는 끊임없이 변화하지 않으면 안 된다.

생물학적인 우리의 존재 자체가 끊임없는 변화와 불균형의 산물이라고 할 수 있다. 자연에서 불균형을 만들고 끊임없이 불균형 상태를 유지하면서 살아숨쉬고 있는 것이 우리의 생명이기 때문이다. 균형과 안정은 죽은 다음에나 찾아오는 것이다.

사람이 만든 조직 역시 안정과 끊임없이 싸워야만 살아남을 수 있다. 변화하지 않는 개인이나 조직은 꺼져가는 생명체처럼 퇴보하고 죽어갈 수밖에 없는 것이다.

그러나 변화의 와중에서 구성원들이 불안감을 느낄 때일수록, 자칫하면 구성원들간에 오해가 생기고 갈등이 깊어져서 벽이 생길 수도 있다.

사람 사이의 관계를 해치는 요인 중 하나는 인간의 기본 속성에서 찾을 수 있다. 사람에게는 일이 잘못되었을 때 자신에게서 원인을 찾기보다는 주위 환경이나 남의 탓을 하기 쉬운 본성이 있다.

데일 카네기의 『친구를 얻고 사람들에게 영향을 미치는 방법(*How to win friends and influence people*)』을 보면 재미있는 이야기가 나온다. 연쇄 살인범 등 흉악범만 모아놓은 형무소에서 수감자들과 이야기를 해보면, 대부분의 죄인들이 자기 잘못보다는 주위 환경이나 다른 사람들 때문에 이 지경까지 빠지게 되었다고 생각한다는 것이다. 누가 보더라도 명백한 잘못이 있는 사람들도 이렇게 생각한다면 보통 사람들은 더 말할 나위가 없을 것이다.

지니 다니엘 덕의 『체인지 몬스터(*Change Monster*)』에도 비슷한 예가 나온다. 저자는 세 살 된 딸과 둘이서만 살고 있었는데, 어느 날 처음으로 딸에게 초콜릿을 한 조각 주었다. 그런데 한밤중 바람 소리에 잠을 깨어 거실로 나가보니 딸이 남은 초콜릿을 모두 먹어버린 것이 아닌가! 야단을 맞은 세 살 된 아이의 대답은 "동생이 있었다면 그 애가 그랬다고 했을 텐데"였다고 한다.

이러한 사례에서 알 수 있듯이, 자기가 잘못한 상황에서도 스스로를 합리화하고 주위 환경이나 다른 사람의 탓을 하는 것이 사람의 본성인 것 같다.

언젠가 우연히 TV에서 어린이를 대상으로 하는 방송을 보다가, 아주 인상적인 이야기를 들은 적이 있다. 사람은 원래 선한 존재가 아니라는 내용이었다. 아이들이 처음 태어났을 때를 보면 오로지 자기만 생각하고 먹을 것을 탐하며 조금만 어디가 불편해도 짜증을 내는 것이 그 증거라는 것이다.

그러나 아이들은 자라면서 조금씩 다른 사람들의 존재를 인식하게 되고, 여러 경험과 교육을 통해서 그리고 사색하면서 각자가 다른 사람들에 대해 배려하는 마음을 나름대로 키워가게 된다고 한다.

모든 사람이 태어날 때부터 가지고 있는 욕심의 크기는 같지만, 인간으로서 성숙도나 인격이 사람들마다 다른 이유도 여기에 있다고 한다. 즉 사람의 본성은 타고나는 것이지만, 인격을 키우고 다른 사람을 배려하는 마음은 전적으로 그 사람에게 달려 있다는 것이다.

어린이 대상의 방송이기는 하지만, 남의 탓을 하려는 본성과 남을 배려하는 마음의 관계를 잘 나타내주는 이야기가 아닌가 한다.

조직이 여러 가지 원인으로 어려움을 겪는 때일수록 가장 필요한 것이 함께 그 배를 타고 있는 동료에 대한 존중과 배려이다. 배려에는 여러 가지 형태가 있을 수 있지만, 가장 기본적인 것이 시간 지키기와 인사하기라고 생각한다.

사실 동료에 대한 배려 중에서 가장 쉽게 실천할 수 있으면서도 가장 효과가 큰 것이 시간 지키기이다. 여러 사람이 같이 모이는 회의나 행사에서 한 사람이 10분을 늦었다고 치자. 그렇다면 기다리는 모든 사람이 10분씩 똑같은 손해를 본 셈이다. 모인 사람이 많을수록, 그리고 이러한 횟수가 잦아질수록 손해 보는 시간은 더 커지게 마련이다. 그리고 이러한 시간의 손실은 각 개인은 물론이며 조직 전체로 보아서도 생각보다 큰 손해를 가져올 수 있다.

따라서 조직원으로서 가장 기본적으로 갖추어야 할 자세이자 동료에 대한 배려의 첫걸음은 시간 지키기에서 부터 시작한다고 해도 과언이 아닐 것이다.

물론 약속 시간을 잡을 때는 조직 내의 여러 가지 사정을 고려해서 모두가 잘 지킬 수 있는 시간을 잡는 유연성도 필요하다. 예를 들어서 업무를 마치는 시간이 6시인데 6시 정각에 행사를 시작한다면, 업무 정리를 미처 끝내지 못하고 모이거나 마무리 때문에 늦는 사람들이 많을 수 있다. 이러한 경우에는 처음부터 6시 10분으로 약속을 잡는다면, 시간을 잘 지키는 사람들이 쓸데없이 기다릴 필요도 없을 것이며 많은 사람이 함께 시간을 잘 지킬 수 있을 것이다.

인사하기도 마찬가지이다. 서로가 서로를 잘 아는 작은 조직은 물론이며, 인사를 나누기도 힘들 정도의 큰 조직일수록 인사하기의 효과는 클 수 있다. 함께 일하는 동료들끼리 인사를 나누면서 좀더 친밀해질 수 있고, 거기서 출발해 더 즐겁고 더 효율적으로 일할 수 있는 분위기가 만들어지기 때문이다.

하지만 막상 인사를 하려 해도 동료인지 외부에서 온 손님인지 알지 못해서 망설이는 경우도 있다. 그러나 꼭 동료들끼리만 인사할 필요는 없다고 생각한다. 자신과 직접 관련이 없는, 외부에서 온 손님이라도 지나가면서 따뜻하게 인사를 건넨다면 그것만으로도 그 사람은 굉장히 좋은 인상을 받고 돌아갈 것이다.

그러나 시간 지키기나 인사하기와는 반대로 잘못된 형태의 배려도 있다. 실수를 무조건 덮어주거나 필요한 도움을 청하지 않으려는 것이 그것이다.

조직 내에서 다른 사람들로부터 실수를 지적당했을 때는 그것이 사실이든 아니든 간에, 우선 기분이 상하고 섭섭한 감정을 느끼기 쉽다. 내가 왜 이렇게 되었나 하는 생각이 들면서 나를 이렇게 만든 상대방, 다른 사람, 다른 부서, 회사가 차례로 떠오르게 마련이다.

특히 자신은 나름대로 상대방을 배려했다고 생각했는데, 이러한 일이 생기면 섭섭함을 넘어서 분노마저 느끼게 된다. 나는 상대가 마음 상할까봐 지적을 하지 않고 넘어갔는데, 반대의 경우가 되니까 상대는 전혀 봐주는 기색이 없는 것이다. '나는 저 사람에게 관용을 베풀었는데, 저 사람은 그렇지 않다' 는 생각이 들면서 마음을 닫아버리게 된다.

그러나 지적해야 할 일을 안 하는 것이 상대방에 대한 배려는 결코 아니다. 지적할 일을 하지 않는 것은 다음에 같은 실수를 반복하도록 방조하는 것에 지나지 않는다. 동료에 대한 적절한 지적은 조직 전체를 위해서 옳은 일일 뿐만 아니라, 상대방에게도 스스로 깨닫지 못하는 실수를 고치고 발전할 수 있는 기회를 주는 일인 것이다. 따라서 지적을 받는 사람도 적절한 지적에 대해서 마음을 상하거나 오해하는 일은 없어야 하겠다.

또 하나 꼭 필요한 도움을 동료가 바빠 보인다는 등의 사소한 이유로 청하지 않는 것도 잘못된 형태의 배려라고 할 수 있다.

한 조직에는 그 역사만큼이나 다양한 성공과 실패의 경험이 축적되어 있다. 따라서 그러한 조직의 자산을 최대한 활용하기 위해서는, 새롭게 일을 맡은 사람들이 그 전의 경험자들에게 적극적으로 의견을 구하는 자세가 필요하다.

그러나 막상 물어보러 가서는 일 때문에 허덕이는 동료의 모습을 보고 안쓰러워서 그냥 돌아서거나 이해도 못한 채 아주 간략하게만 답을 듣고 돌아오는 경우도 있다. 폐를 끼치지 않으려는 나름대로의 좋은 의도 때문이기는 하지만, 그것은 우리 모두를 위해서 바람직하지 않은 일이다. 조직 내의 누군가가 이미 했던 시행착오를 다른 사람이 반복하는 일은 일어나서는 안 되기 때문이다. 이것은 사람들이 모여서 하나의 조직으로 일을 하는 근본적인 이유에 반하는 일이다.

반대로, 내가 옛날에 경험했던 일을 다른 사람이 처음부터 다시 시작하고 있다면, 부르지 않더라도 찾아가서 자기의 경험을 들려주는 자세도 필요하다.

동료에 대한 존중과 배려, 이것은 신나는 업무 환경을 만드는 출발점이다. 그리고 그러한 배려가 적극적인 동기부여와 에너지를 생산해 내는 격려로 이어질 때, 개인과 조직 모두 성공할 수 있을 것이다.

커뮤니케이션은 인간관계의 모든 것이다

CEO AHN CHEOL SOO

흔히들 전문가라고 하면 한 분야에서 아주 깊은 전문 지식을 가지고 있는 사람이라고 단순하게 생각하기 쉽다. 많은 사람들이 해당 분야에서 인정받는 전문가가 되기 위해서 지금 이 시각에도 구슬땀을 흘리며 열심히 노력하고 있다. 그러나 21세기를 살아가는 전문가에게는 전문 지식뿐만 아니라 또 다른 능력이 요구된다. 바로 커뮤니케이션 능력이다.

이제는 레오나르도 다 빈치처럼 한 사람의 천재가 모든 일을 다 해내는 시대는 지났다. 여러 분야의 전문가들이 힘을 합해서 하나의 큰 일을 이루어나가는 시대가 된 것이다. 이러한 환경에서 필수적인 것은 다른 분야의 사람들에게 자신의 전문 지식을 정확하게 전달하는 능력이다. 물론 여기에는 다른 분야의 사람들이 하는 말을 정확하게 이해하는 능력이 포함된다.

이런 능력이 없는 전문가는 자신이 맡은 부분의 일은 잘해낼 수 있지만, 그 일의 결과를 다른 사람에게 전달해서 더 높은 수준의 성과로 만들어내지는 못한다. 또한 다른 사람들이 자신에게 요구하는 사항에 대해서도 이해도가 떨어지다보니, 자기가 만들고 싶은 것만 만들 뿐, 실제로 다른 사람들에게 필요한 것은 만들어주지 못한다.

좀더 알기 쉽게 수식으로 표현하면 '전문가의 실력=전문 지식×커뮤니케이션 능력'쯤이 될 수 있다.

전문가가 되기 위해서는 가장 먼저 전문 지식을 쌓아서 누구에게도 뒤지지 않을 만큼 실력을 갖추어야 한다. 그러나 그 지식이 아무리 세계적인 수준에 이른다 해도 커뮤니케이션 능력이 0점인 사람은 전문가로서의 실력도 0점이 될 수밖에 없는 것이다.

예를 들어 시험을 칠 때, 아무리 실력이 있는 사람이라도 답안을 하나씩 내려 써서 0점을 받았다면, 외부에서 평가하는 그 사람의 실력은 0점이 되는 것이다. 아무리 원래 실력은 그렇지 않다고 주장해도 소용이 없다. 자신의 실력을 다른 사람들이 알 수 있게 표현하지 못하면 실력이 없는 사람과 다를 바 없는 것이다.

그러나 또 한편으로 커뮤니케이션만큼 어려운 것은 없다. 상황이나 상대 그리고 내용에 따른 가장 효율적인 커뮤니케이션 방법은 그때마다 다를 수밖에 없고 정답이 있는 것도 아니기 때문이다. 그렇지만 최소한 정확한 커뮤니케이션을 하기 위한 몇 가지의 원칙들은 존재한다.

첫째는 상대와 나의 상식이 다를 수 있다는 점을 인정하는 것이다. 내가 상식이라 생각했던 부분이 .상대방에게는 상식으로 받아들여지지 않기 때문에 커뮤니케이션 과정에서 서로 오해가 생길 수 있다. 따라서 자신의 상식만을 고집하고 알아듣지 못한다고 답답해 할 것이 아니라, 나의 상식이 상대방에게는 상식이 아닐 수도 있다는 유연한 사고방식을 가져야 한다.

둘째, 사용하는 말의 뜻이 사람마다 다를 수 있다는 것을 인식하는 일이다. 같은 용어에 대해서도 사람마다 정의를 달리 하거나 심지어 반대로 받아들이는 경우가 있다. 한 예로, 어떤 지방에서는 굉장히 호감이 어린 뜻으로 사용되는 말이 다른 지방에서는 반대로 불쾌감을 일으키는 경우도 있다. 따라서 전체적인 논지와는 맞지 않는 단어가 나올 때는 혼자서만 지레 짐작하지 말고 직접 물어서 확인을 해보는 것도 오해를 막는 좋은 방법이다.

셋째, '자기가 아는 만큼만 볼 수 있다' 는 것을 인식하는 자세가 중요하다. 책을 읽을 때도 그렇지만, 특히 이야기를 할 때도 자기가 알고 있고 경험한 정도만큼만 이해할 수 있는 법이다. 따라서 지식이나 경험이 다르거나 특히 전문 분야가 다른 사람끼리 이야기할 때는 서로의 뜻이 제대로 전달되지 않는 경우가 있다. 심지어는 같이 내린 결론에 대해서도 서로 정반대의 생각을 하는 경우가 드물지 않게 발생한다.

따라서 다른 사람과 이야기할 때는 '내가 틀릴 수도 있다' 는 열린 생각을 가지는 것이 필요하다. 다른 분야에 대해서도 상식과 포용력을 가지고 정확한 커뮤니케이션을 위해서 노력하는 사람은 그 과정을 통해서 자기 자신도 발전할 수 있고 지식과 경험의 폭 역시 넓어지는 법이다.

넷째, 감정이나 체면을 경계해야 한다. 우리나라 사람들은 의견을 개진하기 전까지는 매우 유연한 태도를 보이다가도, 일단 공개적으로 자신의 의견을 이야기한 다음에는 어떤 경우에도 그 입장을 고수하는 경우가 많다고 한다.

그러나 이래서는 서로간의 진솔한 커뮤니케이션이 이루어질 리가 없다. 자기의 의견과 자존심을 구분할 줄 아는 성숙한 마음가짐이 정확한 커뮤니케이션의 지름길이다.

다섯째, 정직하고 솔직한 커뮤니케이션이다. 여기서 솔직하다는 것은 거짓말을 하지 않는다는 소극적인 의미가 아니라, 서로 꺼내기 불편한 문제에 대해서도 관계를 발전시키기 위해서 용기를 내서 이야기한다는 적극적인 의미이다.

'The communication is the relationship' 이라는 말이 있다. '커뮤니케이션은 인간관계 그 자체이다' 또는 '커뮤니케이션은 인간관계의 모든 것이다' 로 번역할 수 있겠다. 처음 이 말을 들었을 때는 이해가 가지 않았다. '커뮤니케이션이 인간관계의 일부이자 의사 전달의 수단이 될 수는 있지만, 어떻게 커뮤니케이션이 인간관계의 모든 것이라고 단정할 수 있는가?' 라고 반문했다. 그러나 시간이 지남에 따라 이 말이 품고 있는 뜻을 조금씩 이해하기 시작했다.

인간관계는 커뮤니케이션을 통해서 시작되고, 발전하고, 깨어진다. 부부 관계도 어느 한 쪽이 먼저 청혼을 했기 때문에 만들어질 수 있는 것처럼, 모든 인간관계는 서로의 의사를 전달함으로써 비로소 형태를 갖추게 되는 것이다. 말을 하지 않아도 서로의 의도를 알아차리는 데는 한계가 있는 법이다.

그런데 사람들간에는 서로 꺼내기가 민감하고 불편한 화제가 있게 마련이다. 직장 동료간에는 물론이며 부부, 부모 자식 간에도 이러한 화제가 한두 개 정도씩은 있는 경우가 많다. 그렇지만 말하기 어렵고

예민한 부분이라고 해서 항상 그 부분을 의식적으로 피하면서 지내다 보면 어느덧 서로의 관계가 서먹서먹해지고 멀어지게 된다. 문제를 껴안고 있는다고 해서 스스로 해결되거나 없어지는 것이 아닐뿐더러, 다른 오해나 갈등이 생기면 점점 더 거리가 멀어진다.

따라서 말을 꺼내기가 민감한 부분이라도, 솔직하게 이야기하고 함께 고민을 나누어야 그 사람과의 관계가 다음 단계로 발전할 수 있다. 단, 서로에게 불편한 이야기일 수 있으므로, 먼저 이야기를 꺼내는 쪽은 이야기를 꺼내는 이유가 상대방과의 관계를 한 단계 더 개선하고 싶기 때문이라는 것을 진솔하게 전달할 필요가 있다.

한 사람이 얼마나 풍요로운 인생을 사는가는 얼마나 진실한 인간관계가 많은가에서 가름된다. 그리고 그 관계를 끊임없이 개선하려는 노력에 달려 있다고 해도 과언이 아닐 것이다.

커뮤니케이션의 양방향성

CEO AHN CHEOL SOO

커뮤니케이션의 중요한 측면 중 하나는 바로 양방향성이다. 한쪽이 한 걸음 다가서도 다른 쪽에서 다가서지 않으면 커뮤니케이션은 이루어지지 않는다. 양쪽 모두가 한 걸음씩 다가서는 것이 커뮤니케이션이기 때문이다.

개인과 조직 간의 커뮤니케이션도 마찬가지이다. 조직이 커지면 개인간의 커뮤니케이션도 중요하지만 전체 조직원을 대상으로 하는 커뮤니케이션도 많아지게 마련이다. 회사의 행사나 인사 발령, 바뀐 제도 등 전 조직원이 알아야 할 내용에 대해서 게시판이나 전체 모임 등 여러 가지 방법을 통하여 커뮤니케이션이 이루어진다.

그러나 이미 공지된 내용임에도 흘려 읽거나 흘려 듣고 모임에 참석하지도 않은 채, 그 일이 진행되지 않는다고 불만을 말하는 사람들도 있다. 전사 공지 사항에 대해서 숙지하는 것은 커뮤니케이션의 원활화를 위한 것일 뿐 아니라, 힘을 합해서 일을 하는 조직의 구성원으로서 기본에 해당한다는 것을 명심해야 한다.

커뮤니케이션의 양방향성과 관련하여 한 가지 더 언급하고 싶은 점은, 자신의 의사를 어떤 수단을 통해서 전달하는 것만으로 책임이 끝나는 것이 아니라는 것이다. 정확한 커뮤니케이션을 원한다면 정보를 제공한 사람은 상대방이 제대로 그 내용을 전달받았는지 확인할 필요가 있다.

최근에는 업무에 이메일을 활용하는 경우가 대부분이다. 이메일은 인터넷으로 연결된 전 세계 누구와도 연락할 수 있게 하며, 전화처럼 상대방을 기다릴 필요도 없고, 시간의 제약도 받지 않는다. 또한 첨부 파일로 원하는 정보들을 충분히 보낼 수 있기 때문에, 다른 통신 수단으로는 할 수 없었던 일을 가능하게 해주는 필수적인 업무 수단이 되었다.

반면에 이메일은 상대방이 확실하게 받았는지 확인하지 않으면 도중에 혼란을 야기할 수 있는 불확실한 커뮤니케이션 수단이기도 하다. 받는 사람이 시간이 없어서 이메일을 못 볼 수도 있지만, 전송 도중에 여러 가지 이유로 사라져버리거나, 메일 서버가 고장나거나, 스팸으로 오인되어서 서버에서 차단되거나, 사용자가 실수로 지워버리는 등 여러 가지 이유로 내용을 보지 못할 가능성이 항상 존재하는 것이 이메일이다. 따라서 중요한 이메일은 수신을 반드시 확인하는 것이 정확하고 원활한 커뮤니케이션을 위한 좋은 방법이다.

컴퓨터끼리 정보를 교환하고 커뮤니케이션할 때 정해놓은 방법을 프로토콜(protocol)이라고 부른다. 인터넷에서도 인터넷 프로토콜(Internet protocol)을 사용하여 한 치의 오차도 없도록 자료를 주고받고 있다. 이러한 프로토콜에서 가장 기본적인 부분은 송신 측에서 자료를 보내기만 하지는 않는다는 것이다. 송신자는 일정량의 자료를 보낸 다음에는 반드시 수신자 쪽에서 자료를 받았다는 신호를 기다린다. 수신 신호를 받으면 그 다음 자료를 보내지만, 일정 시간을 기다린 다음에도 신호가 오지 않을 때는 다시 동일한 자료를 전송하고 다시 수신 신호를 기다리는 일을 반복한다. 이러한 방법으로 에러 없는 전송을 꾀하는 것이다.

사람 사이의 커뮤니케이션에서도 마찬가지의 원리가 적용된다. 이메일을 보낸 측이 수신 확인의 책임까지 져야만이 정확한 커뮤니케이션을 보장받을 수 있다. 이메일을 보낸 것만으로는 책임을 다했다고 볼 수 없다. 정보를 보낸 그 순간부터 커뮤니케이션의 책임이 상대방에게 있다고 생각하는 것은 커뮤니케이션의 기본에 대한 이해가 부족한 것이다. 중요한 일이 커뮤니케이션 지연으로 잘못되었을 때는 이메일을 보낸 것만으로는 책임 전가가 되지 않는다.

그렇다고 모든 이메일에 대해서 수신 확인을 할 필요는 없다. 사소한 이메일까지도 일일이 확인을 하는 것은 오히려 낭비의 요소가 많다. 다만 중요하고 시급한 업무에 대해서만은 반드시 수신 확인을 하고, 동시에 언제까지 답을 받을 수 있는지에 대해서도 답을 듣는 업무 습관을 익힌다면 앞으로 개인 경쟁력 강화에 큰 도움이 될 것이다.

모든 것은 협상 가능하다

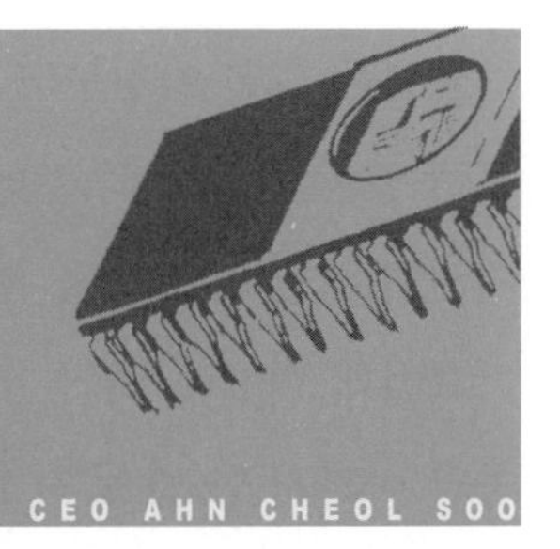

CEO AHN CHEOL SOO

언젠가 한 목사님에게서 어떤 부부에 대한 이야기를 들은 적이 있다. 남편은 매사에 꼼꼼한 성격이고, 부인은 조금 덜렁대는 구석이 있었다고 한다. 그런 탓에 이 부부는 사소한 일로도 자주 다투었다.

예를 들면 치약 사용 방법부터 서로 달랐다. 예전에는 치약 튜브를 양철로 만들었는데, 남편은 튜브의 끝부터 꼭꼭 눌러 치약을 사용했다. 그러나 부인은 튜브의 중간을 덥석 눌러 치약을 짜내서 남편이 정성스럽게 만들어둔 튜브의 모양을 엉망으로 만들곤 했다.

남편은 엉망이 된 치약 튜브를 부인에게 보여주면서 말다툼을 벌이곤 했으나 부인의 버릇은 고쳐지지 않았다. 남편은 매사에 철저하지 못한 부인이 불만이었고, 부인은 사소한 일에도 지나치게 신경을 쓰는 남편이 불만이었다.

아침마다 치약 튜브 때문에 신경전을 벌이던 남편은 어느 날 묘안을 생각해 냈다. 치약을 사용한 다음에는 튜브의 끝을 말아버리는 것이다. 그러면 부인이 튜브의 중간을 눌러서 사용하더라도 피해(?)가 최소화하기 때문에, 다시 튜브의 끝부터 치약을 앞쪽으로 모아야 하는 불편함이 없어질 것이라 생각했다.

남편은 그날 아침부터 당장 자신의 생각을 실천에 옮겼다. 예상대로 부인이 치약을 쓰고 난 후에도 튜브의 모양이 그전처럼 완전히 망가지지 않았고, 그것을 본 남편은 대단히 기분이 좋았다.

그런데 며칠이 지난 후 남편은 부인도 매우 명랑해져 있고, 며칠 동안 바가지 한 번 긁지 않았다는 사실을 깨달았다. 궁금해진 남편은 부인에게 왜 요즘은 그렇게 기분이 좋으냐고 물었다. 부인은 즐겁게 대답했다.

"당신 덕분이에요. 저는 치약을 시원스럽게 쿡 눌러서 짜는 것을 좋아한답니다. 그런데 요즘은 당신이 저를 위해서 치약 튜브를 말아 놓아서 저는 기분 좋게 치약을 눌러 짤 수 있게 되었어요. 저는 치약을 쓸 때마다 당신의 마음을 느낄 수 있어요. 그래서 행복하답니다."

조직은 다양한 성격과 경험, 전문 분야의 사람들로 구성되어 있다. 이렇게 다른 사람들끼리 모여서 같이 일을 하다보면 서로의 의견 차이로 대치하는 경우가 있다. 각각의 의견들만을 놓고 보면 일부 오해에서 비롯된 것들을 제외하고는 대부분 합리적이고 옳은 경우가 많다. 그러나 다양한 사람들이 모여 있는 상황에서는 한 쪽의 입장만 고려하다가는 다른 쪽이 피해를 입는 경우도 얼마든지 있을 수 있다.

이러한 경우에 각자의 주장만 되풀이하면 문제 해결에 도움이 되기는커녕 양쪽 모두에게 손해와 상처를 입히기 십상이다. 상대방이 받아들일 수 없는 요구를 되풀이하는 것은 불평에 지나지 않으며, 이것으로 자신의 감정을 해소할 수 있을지는 모르지만 문제 해결에는 조금도 도움이 되지 않는다.

게빈 케네디의 『모든 것은 협상 가능하다(*Everything is negotiable!*)』를 보면 재미있는 사례가 나온다. 이탈리아로 여행을 간 저자가 어느 호텔에서 여장을 풀었는데, 습도가 너무 높아서 밤새도록 고생을 했다고 한다. 그는 아침이 되자마자 호텔 프런트로 달려가 종업원에게 호텔의 형편없는 시설에 대해서 마구 불평을 늘어놓았다. 그러나 결국은 창문을 열어놓고 자라는 회답밖에는 얻을 수 없었다고 한다.

그 다음에야 그는 불평만을 늘어놓아서 종업원을 방어적인 자세로 만들어놓는 것보다는 불편한 점을 설명하고 다른 방으로 바꾸어달라는 대안을 제시하는 것이 더 좋은 방법이었음을 깨달았다고 한다.

그가 프런트로 갔던 이유는 불평을 하기 위한 것이 아니라 문제를 해결하기 위해서였다. 하지만 문제를 해결하기 위해서는 불평보다는 실행 가능한 대안을 제시하는 것이 서로에게 이익이 될 수 있다는 사실을 간과하고 만 것이다.

이런 경우는 얼마든지 더 있다. 우리가 상대방을 공격하면 상대방은 자신을 변호하게 마련이다. 사납게 몰아붙일수록 상대방은 그보다 더한 태도로 반격해 온다. 결국 근본적인 문제는 뒷전으로 밀려나고 서로의 감정만 격앙되어 어떻게 시작되었는지도 인식하지 못한 채 싸움에 휩쓸리게 되는 것이다.

따라서 우리에게 무엇보다도 필요한 것은 상대방의 이야기를 먼저 들어주고, 상대방의 입장을 이해하려고 노력하는 자세이다.

자신의 입장만 생각하고 불평하기보다는 서로 한 걸음씩 뒤로 물러서서 상대방의 입장을 생각해주고 실행 가능한 대안을 제시한다면,

처음에 이야기한 부부의 경우처럼 모두 행복해질 수 있을 것이다.

토론과 논쟁의 차이점은, 전자가 상호 이해 속에서 서로 수긍할 수 있는 의견을 도출해 내가는 과정인 반면에, 후자는 자신의 주장만을 내세우며 싸우는 것이다. 우리는 제대로 된 토론을 할 수 있는 마음가짐을 가져야 한다. 우리는 하나의 공동체이며, 상대방의 발전은 곧 나의 발전을 의미하는 것이기 때문이다.

배움에 임하는 자세

CEO AHN CHEOL SOO

조직원에게 학습은 중요한 의미를 지닌다. 전문가로 그리고 조직 구성원으로 계속 성장하기 위해서는 지속적인 자기 개발이 반드시 따라야 하기 때문이다. 개인 혹은 조직에서 필요로 하는 부분을 독학을 통해서, 그리고 조직에서 시행하는 전사 교육이나 직무 교육을 통해서 채우게 마련이다.

그런데 어떠한 자세로 공부를 하느냐에 따라서 같은 시간과 노력을 투자하더라도 사람마다 그 결과가 매우 다를 수 있다. 아무리 좋은 책을 읽거나 좋은 교육을 받아도 올바른 마음가짐을 가지지 않으면 오히려 역효과가 날 수도 있는 것이다.

언젠가 '열심히 사는 것의 의미'에 대해서 강연을 한 적이 있다. "지금의 상황에서 보면 그 내용은 쓸모없는 것이 되었지만, 치열하게 살았던 의과대학 시절의 삶의 태도가 지금도 내 핏속에 흐르고 있고 현재의 삶을 살아가는 데도 중요한 역할을 하고 있다. 따라서 지금 내가 하고 있는 일이 나중에 어떻게 쓰일 것인지가 중요한 것이 아니라, 지금 내가 맡은 일을 어떠한 태도로 하고 있는지가 더 중요하다. 지식은 사라지지만 삶의 태도는 변하지 않기 때문이다"라는 것이 강연의 주된 내용이었다.

강연이 끝나자 한 사람이 다가와 내게 말을 걸었다. 내 강연을 듣고는 안도의 한숨을 쉬었다는 것이다. 그 사람은 지금 온라인 게임에 빠져 업무 시간은 물론이며 퇴근 후에도 새벽 두세 시까지 게임에 매달려 있다고 했다. 그런데 내 강의를 들어보니 무엇을 하든지 열심히만 하면 된다고 해서 안심했다는 것이다.

정말 어처구니없는 일 같지만, 사실 정도의 차이만 있을 뿐 그렇게 드문 경우는 아니다.

지인 중에 비교적 책을 많이 읽는 이가 있다. 그런데 그 사람은 책을 읽으면서도 예전에 자신이 토론이나 말싸움에서 졌을 때를 항상 떠올린다고 한다. 그래서 책을 읽다가 관련된 부분이 나올 때는 다음에 같은 상황에 처했을 때 어떻게 써먹으면 이길 수 있을지만 생각한다고 한다.

사람은 본질적으로 자기 방어와 자기 합리화에 굉장히 능숙하다. 그래서 다른 사람의 말을 듣거나 책을 읽으면서 무의식중에 자기 합리화를 할 수 있는 재료를 끊임없이 찾는 버릇이 있다.

그러나 이러한 태도로 공부를 하면 발전하지 못하는 것은 당연하다. 오히려 자기가 지금까지 쌓은 작은 지식과 작은 경험의 틀에 갇혀서 빠져나오지 못하고 스스로 벽만 더 단단하게 쌓는 꼴이 된다. 이러한 사람은 아무리 많은 교육을 받아도 오히려 퇴보할 수밖에 없을 것이다. 교육의 내용에 앞서서 교육을 받는 자세가 더 중요한 이유도 여기에 있다.

따라서 공부를 하거나 책을 읽을 때도 커뮤니케이션을 할 때와 마찬가지로 '내가 틀릴 수도 있다' 는 열린 생각을 가지는 것이 중요하다. 자기 방어적인 생각을 버리고 '저 부분이 내가 부족하구나, 저건 나중에 고쳐야지' 와 같이 자기가 몰랐던 점, 고칠 점을 열심히 찾아보는 발전 지향적인 태도를 가져야 한다.

만약에 공부를 하거나 교육을 받으면서 '예전에 그 친구가 했던 말이 틀렸구나' 혹은 '결국은 회사에서 해오던 정책이 틀렸네' 와 같은 생각만 계속 든다면 스스로 경계해야 한다. 특히 틀렸다는 생각이 들면서 기분이 좋아진다면 자기 방어의 함정에 빠져 있을 가능성이 높다. 진정으로 친구나 조직을 위한다면 오히려 걱정이 앞서고 어떻게 하면 그것을 바로잡을 수 있을지 방안을 찾아내기 위해서 골몰하는 것이 올바른 태도이다.

또한 비슷한 맥락으로, '자기가 아는 만큼만 볼 수 있다' 는 것을 인식하는 것이 중요하다. 사람들은 같은 책을 읽거나 같은 교육을 받아도 그 사람이 가지고 있는 경험과 지식 그리고 그릇의 크기에 따라 이해의 폭이 다를 수밖에 없다.

따라서 공부를 할 때는 지금의 지식과 경험을 넘어서는 부분이 있을 수 있다는 생각을 항상 가져야만 한다. 또한 전공 분야 이외의 다른 분야에 대해서도 상식과 포용력을 가지기 위해 노력해야 한다. 그러한 마음가짐이야말로 그 사람의 발전 가능성을 나타내주는 가장 확실한 지표이기 때문이다.

배움과 관련하여 한 가지 더 이야기하고 싶은 점은 팀워크 능력에 대한 것이다. 공부 또는 교육이라고 하면 흔히들 전문 지식만을 떠올리는 경우가 많다. 또한 책을 보거나 교육을 통해서 배운 전문 지식은 개인의 소중한 자산으로 여기지만, 업무를 하면서 또는 교육을 통해서 익히는 단체 생활에서의 기본적인 에티켓, 조직원으로서 갖추어야 할 마인드, 커뮤니케이션 능력, 팀워크 훈련 등에 대해서는 중요하지 않게 생각하는 경우가 있다. 특히 대학교를 갓 졸업하거나 기술을 전공한 사람일수록 이렇게 생각하는 경향이 강하다.

그러나 그러한 생각은 스스로의 발전을 저해할 수 있다. 지금은 전문가들끼리도 일을 나누어야 하고, 다른 분야의 사람들과도 함께 일을 해나가야 하는 시대이다. 이러한 상황에서 전문 지식만큼이나 중요한 것이 다른 사람들과의 원활한 협업 능력이다. 심지어는 지식과 경험이 조금 부족하더라도 다른 사람들과 같이 일을 더 잘할 수 있는 사람이 결국은 더 좋은 실적을 내고 인정받는 경우도 있다.

따라서 팀워크 능력은 현대 사회에서 전문 지식만큼이나 중요한 개인 경쟁력이며, 전문가에게 필수적인 능력이라고 할 수 있다. 공부를 하거나 교육을 받을 때도 이러한 점을 염두에 두고 전문 지식뿐만 아니라 팀워크 능력에도 관심을 기울이는 것이 현대를 살아가는 조직원들이, 그리고 조직 내에서 일을 하는 전문가들이 갖추어야 할 자세이다.

도요타의 성공 비결

CEO AHN CHEOL SOO

도요타는 일본 최고, 아니 세계 최고 기업 중 하나이다. 실적면에서 매년 지속적으로 큰 폭의 성장을 하고 있을 뿐 아니라, 이러한 성적이 지난 10년간의 장기적인 일본 경기 침체 속에서 이룬 것이어서 큰 의미가 있다.

일본은 지난 10년을 '잃어버린 10년' 이라고 부른다. 지난 10년 동안 불황의 늪에서 빠져나오지도 못했고, 그렇다고 근본적인 문제에 대한 해결도 하지 못한 채 세월만 보냈다는 뜻이다.

그 이유는 여러 가지가 있지만, '미루는 체질' 때문이라는 의견이 지배적이다. 개혁이나 변화에는 당연히 고통이 따르게 마련이다. 이러한 고통도 감내하면서 정면으로 문제를 해결하기보다는 일시적으로 반짝하는 정도의 미봉책만 시행하고 근본적인 개혁을 미루다보니, 지난 10년 동안 경제가 갈수록 침체되었다는 것이다.

그러나 도요타는 그 반대였다. 도요타는 스스로 위기 의식을 가지고 끊임없는 개혁을 통해서 지난 10년을 잃어버린 10년이 아니라 '쌓아올린 10년' 으로 만들었다. 뿐만 아니라 날이 갈수록 도요타의 경쟁력은 더 강해지고 있다.

도요타의 성공 이유를 JIT(just-in-time)로 대표되는 생산 시스템에서 찾는 사람들도 있다. 그러나 더 근본적이며 장기적인 성공 원인은 인사 제도에 있다고 생각한다.

이러한 측면에서 도요타가 강한 조직이 될 수 있었던 이유로 세 가지 정도를 들 수 있을 것이다.

첫째가 몸에 밴 위기감이다.

일본의 거품경제 절정기라고 할 수 있는 1980년대 말만 해도 일본 경제가 장기간의 침체를 겪을 것이라고 생각한 사람은 거의 없었다. 그러나 도요타는 그때에도 위기감을 느끼고 있었고, 그러한 위기감을 바탕으로 개혁을 단행했다.

쵸 후지오 사장은 "제품을 생산하고 있으면 무슨 일이 일어날지 모른다. 언제나 위기 관리를 해야 한다"고 이야기한다. 업무 위험과 시스템 위험, 전략 위험과 금융 위험 등 다양한 위험이 곳곳에 도사리고 있는데 어떻게 마음을 놓을 수가 있겠느냐는 것이다.

이렇게 현실을 직시하고 위기감을 일상화해서 끊임없이 개선하고 업적을 쌓아가는 것이 도요타의 핵심 경쟁력이라고 할 수 있다. 몸에 밴 위기감으로 도요타는 강인함을 유지할 수 있으며, 매달 1조 원의 이익을 내고 있는 지금도 여전히 긴장의 끈을 늦추지 않고 있다.

둘째로는 조직원들과 함께 추진한 인사 개혁을 들 수 있다.

조직이나 제도에 변화가 일어나면 조직원들은 각자의 사고 방식과 업무 처리 방법을 바꾸어야 한다. 사람들은 이러한 변화에 대해서 본능적으로 불안과 공포를 느끼게 마련이다. 또한 변화해야 하는 이유를 머리로는 이해한 다음에도, 마음으로 받아들이기까지는 시간을 필요로 한다.

도요타는 이러한 사람의 본질적인 속성을 잘 이해하고, 조직원들이 스스로 깨달을 수 있도록 의식 개혁을 병행하였다. 설명회와 토론회 등을 통해서 충분히 대화를 하고 이해를 도우면서 조직원들이 개혁에 능동적으로 참여할 수 있도록 한 것이다.

도요타에서 이렇게 조직원들과 함께 개혁을 추진할 수 있었던 근본적인 이유는 조직과 조직원 사이에 굳건한 신뢰 관계가 형성되어 있었기 때문이다. 커뮤니케이션이란 한쪽에서만 노력한다고 되는 것이 아니라 양쪽 모두 받아들일 자세가 되어야 이루어지는 것인데, 도요타에서는 이러한 기반이 구축되어 있었던 것이다. 오랜 기간 쌓인 신뢰 관계는 변화의 시기에 힘을 발휘하게 마련이다.

셋째는 장기간에 걸친 꾸준한 개혁이다.

도요타에서는 인사 개혁을 한순간에 해치운 것이 아니라, 10년에 걸쳐서 꾸준하게 그리고 점진적으로 이루어내었다. 장기간 일관성을 유지하면서도 동시에 실행 과정에서 나타나는 문제점들을 착실하게 고쳐나간 것이다.

인사 개혁을 주도했던 이소무라 이와오 부회장의 "개혁에는 끝이 없지요. 늘 세상은 변하게 마련이니까, 그에 맞춰 기업은 항상 변하지 않으면 안 됩니다. 이것으로 끝이다 하는 것은 없습니다"라는 말은 끊임없는 개혁의 정신을 대변하고 있다.

이러한 장기간에 걸친 뚝심 있는 개혁이 지금의 도요타를 만든 것이라고 해도 과언이 아닐 것이다.

여기서 도요타 이야기를 꺼낸 이유는 도요타가 안연구소의 벤치마크 대상 기업이기 때문이다. 도요타는 거대한 규모의 제조업종에 속하는 회사이기 때문에 안연구소와 같은 신생 소프트웨어 벤처 기업이 벤치마킹하기에는 분야나 규모면에서 많은 차이가 있다고 생각할 수도 있다.

그러나 도요타에는 자동차 분야나 제조업 분야의 기업뿐만 아니라, 안연구소와 같은 IT 분야의 기업들도 본받을 점들이 많다고 생각한다. 특히 도요타 인사 개혁의 핵심이라고 할 수 있는 전문가 제도는 IT 분야에 그대로 적용해도 좋을 정도로 많은 시사점을 제공하고 있다. 또한 각 회사마다 적합한 변화 관리의 방법은 모두 다를 수밖에 없다는 것을 잘 일깨워주는 변화 관리의 모범 사례이기도 하다.

따라서 안연구소에서도 가타야마 오사무의 『최강 인재 경영』 등 여러 자료를 참조하면서 많은 것을 배우고 있다.

도요타의 T자형 인재

CEO AHN CHEOL SOO

도요타 인사 개혁의 비전은 한마디로 '프로들의 집합체'를 만들겠다는 것으로 요약할 수 있다. 도요타에서 이야기하는 '프로'란 일반적인 의미의 전문가와는 다른, 좀더 상위의 개념이다. 전문가는 한 분야에 대한 전문적인 지식이 있는 사람이지만, 프로는 여기에다 다른 분야에 대한 상식과 문제 해결 능력 그리고 능동적인 업무 태도까지 갖춘 사람이라는 것이다.

그리고 일부 전문 분야나 기술직, 연구직에 종사하는 사람들만이 프로가 될 수 있는 것이 아니라, 생산 공장에서 근무하는 사원은 물론 영업 현장에서 뛰는 사원, 인력과 전체 업무를 관리하는 관리자에 이르기까지 회사의 모든 분야에서 종사하는 직원 전체가 자기가 맡은 분야에서 프로가 될 수 있다는 개념에서 출발하고 있다.

이러한 도요타의 인재상을 명확화한 것이 'T자형 인재'이다. T자에서 세로 방향의 선(|)은 한 분야에서의 전문 지식 또는 능력을 의미한다. 그러나 이 부분만 가지고는 전문가는 될 수 있어도 프로가 되지는 못한다. T자에서 가로 방향의 선(—)은 자신이 맡은 분야의 전후 공정에 대한 지식 또는 통상 업무를 운영할 수 있는 능력을 뜻

하는데, 이 부분까지 갖추고 있어야 프로로서의 자격이 있다고 말할 수 있다.

즉, 자신의 핵심 분야뿐만 아니라 다른 분야에 대해서도 기본적인 지식과 포용력을 가지고 있어야 진정한 인재라는 뜻이다. 그렇지 않으면 아무리 전문 지식에 통달했어도 높은 수준의 일은 할 수 없다는 것이다.

또한 T자만으로는 표현하기 힘들지만, 다른 분야에 대한 지식 이외에도 프로가 필수적으로 갖추어야 할 요소로 문제 해결 능력과 능동적인 업무 태도가 있다.

진정한 프로라면 문제 해결 능력을 갖추어야 한다. 즉 문제가 생겼을 때 부품만 갈아 끼우는 것이 아니라 근본적인 원인을 찾아서 다시는 유사한 문제가 발생하지 않도록 해야 하며, 문제가 발생하지 않을 때라도 항상 위기 의식을 가지고 개선해가려는 '개선 능력'까지 포함하는 것이 진정한 문제 해결 능력이라고 할 수 있다.

반면에, 숙련된 기술을 가지고 있더라도 같은 일을 반복하기만 해서는 프로가 되지 못한다. 현상 유지는 조금만 요령을 익히면 숙련도의 차이는 있을지 몰라도 누구나 할 수 있는 일이기 때문이다.

능동적인 자세도 프로로서의 필수적인 요소이다. 프로란 특정 분야의 전문가가 아니라, 일 자체에 대한 프로를 뜻한다. 즉 일에 대해서 자율적으로 접근하고, 스스로 경력이나 삶의 방식에 대한 목표를 설정하며, 자기 책임 아래 능력 향상이나 자기 연마를 꾀할 수 있는 사람이 프로인 것이다.

도요타에서는 개인들이 스스로 자신의 목표를 세우고 발전할 수 있도록 각 분야마다 기대하는 인재상을 명확하게 제시하고, 능력 개발을 할 수 있도록 여러 가지 여건을 제공해주고 있다. 회사의 지시에 따르기만 하는 수동적인 조직원이 아니라, 조직원 스스로가 능동적으로 하는 일을 회사에서 지원해 주는 것으로 회사와 조직원의 관계를 바꾼 것이다. 그리고 이렇게 능동적인 관계에 있는 사람들만이 진정한 프로라고 할 수 있다.

프로 인재, T자형 인재 등으로 기대하는 인재상을 명확화한 것 이외에, 도요타 인사 제도의 또 하나의 특징은 관리자의 길과 기술자의 길을 구분해 놓은 것이다.

도요타에서는 한 분야의 담당자가 오랫동안 일을 한 다음에 나이가 들면 그 분야의 관리자가 되는 것이 아니라, 관리 분야도 기술 분야와 마찬가지로 하나의 전문 분야라고 정의했다. 경영 마인드를 가지고 사람들과 업무를 관리하는 관리 전문가 또는 작은 경영자가 관리를 맡아야 한다는 것이다. 반면에, 해당 분야의 전문성을 쌓는 데 더 관심이 있고 소질이 있는 사람은 관리자가 되지 않고 나이가 들어도 계속 해당 분야의 실무에 머물러 더 높은 경지의 기술자가 될 수 있는 길을 만들어놓았다.

도요타의 이러한 생각과 유사한 예로 군대 조직을 들 수 있겠다. 실제 전투가 벌어질 때 전투 기술이나 경험이 가장 많은 사람은 상사나 중사와 같은 부사관들일 것이다. 그러나 이들을 관리하고 지휘하는 책임은 사관학교를 갓 졸업한 신참 소위들에게 맡겨진다.

신참 소위들이 나이가 적고 실제 전투 능력이 부사관들보다 떨어지는데도 이들이 지휘를 하는 것은 전문가와 관리자는 다르다는 개념에서 출발한다고 생각한다. 즉, 실제로 현장에서 실무를 하는 사람들은 해당 분야에서 전문성을 쌓으면서 전문가로서 길을 걷지만, 관리자는 자신보다 현장 능력이 뛰어나거나 나이가 많은 사람들까지도 아우르는 리더십, 사람과 업무를 관리할 수 있는 능력 그리고 전체적인 관점에서 바라볼 수 있는 전략적인 마인드를 가져야 하고 그런 사람만이 관리자로서의 역할을 제대로 수행할 수 있다고 본 것이다.

도요타는 이렇게 관리직도 전문 분야 중의 하나로 규정함으로써, 관리직을 포함한 회사의 모든 분야에서 모든 사람들이 프로가 될 수 있는 길을 열어놓은 것이다.

안연구소의 A자형 인재

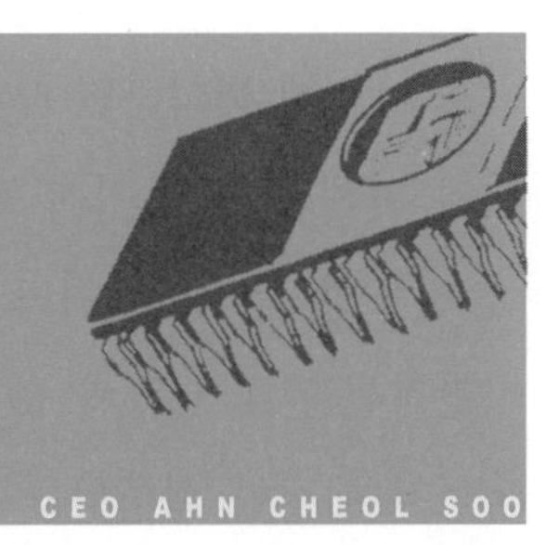

CEO AHN CHEOL SOO

안연구소에는 나름대로의 독특한 인재상이 있다. 바로 'A자형 인재' 이다. 도요타의 T자형 인재가 바람직한 인재상을 그림으로 잘 나타내주는 동시에 도요타(Toyota)라는 사명의 첫 글자이기도 한 것처럼, 안연구소의 A자형 인재도 안연구소의 인재상을 잘 표현해 줌과 동시에 안연구소의 영문 사명인 'AhnLab' 의 첫 글자이기도 하다.

A자형 인재는 하나의 큰 일을 하기 위해서는 각 개인이 맡은 일을 열심히 하는 것도 필요하지만, 여러 분야의 전문가들이 서로 함께 조화를 이루어나가는 것이 중요하다는 개념에서 출발한다.

A자형 인재는 그림상으로 두 가지 해석이 가능하다. 먼저 A자는 사람 인(人)자와 그 사이의 선(—)으로 구성되어 있는 글자라고 보았다. 한 분야의 전문 지식뿐만 아니라 다른 분야에 대한 상식과 포용력이 있는 각 개인들(人)이 서로 가교(—)를 이루어서 하나의 팀으로 협력한다는 의미를 추가한 것이다.

T자형 인재가 한 개인이 프로가 되기 위해서 갖추어야 할 점을 강조한다면, A자형 인재는 T자형 인재가 갖추어야 할 요소에다가 하나의 팀으로 일하는 능력(팀워크 능력)까지 갖추어야 함을 역설한다.

또 다르게 해석하면 A자를 삼각형(△)으로 보고, 바람직한 인재가 되기 위해서는 세 가지 요소를 갖추어야 한다는 의미를 담고 있다. 즉 전문성, 인성, 팀워크 능력이 삼각 구도로 균형을 이루어야만이 바람직한 인재가 될 수 있다는 뜻이다.

먼저 진정한 **전문성**을 갖추기 위해서는 한 분야의 전문 지식뿐만 아니라 다음과 같은 다섯 가지가 필수적으로 요구된다.

- 지식—한 분야에서의 전문 지식과 경험 그리고 다른 분야에 대한 상식과 포용력
- 끊임없이 공부하는 자세—끊임없는 자기 개발 노력
- 문제 해결 및 개선 능력—문제에 대한 근본적인 원인을 찾아서 같은 문제가 재발하지 않도록 하고, 문제가 없을 때도 문제 의식을 가지고 끊임없이 개선해 나가는 능력
- 창조력—업무를 수행하면서 새로운 가치와 아이디어를 창출해 내고, 다른 사람이 보기 힘든 측면까지 볼 줄 아는 안목을 가지고 새로운 영역을 개척할 수 있는 능력
- 고객 지향성—문제에 대한 답을 스스로 판단하기보다는 고객 또는 사용자로부터 구하는 태도

이러한 다섯 가지 요소를 모두 갖추고 있어야 다른 사람들에게도 도움이 되고 진정한 전문가로서 인정받을 수 있다.

인성 측면에서는 다음과 같은 마음 자세가 필요하다.

- 매 순간 최선을 다해 노력하는 자세
- 자신의 한계를 뛰어넘으려는 도전 정신
- 긍정적인 사고 방식—잘못된 원인을 남에게 돌리지 않고 자신의 문제에서 찾으려는 사고 방식
- 소속된 조직의 핵심 가치를 존중하고 따르는 마음가짐
- 함께 살아가는 우리 사회에 기여하겠다는 사명감과 공익의 정신

팀워크 능력, 즉 다른 사람들과 하나의 팀으로 일을 할 수 있는 능력에는 다음과 같은 요소들이 포함된다.

- '나도 틀릴 수 있다'는 열린 생각
- 타인에 대한 존중과 배려의 마음
- 커뮤니케이션 능력—자신의 의사를 정확하게 표현할 뿐만 아니라, 상대방의 의도도 정확하게 이해하는 능력
- 후배 양성 능력—업무에서 알게 된 암묵적 지식(tacit knowledge)을 구체화해서 다른 사람들에게 잘 전달하는 능력
- 리더십—솔선수범과 신뢰 관계를 통해서 조직에 활력을 불어넣어 주고 자신뿐만 아니라 동료들에게도 끊임없이 동기부여를 할 수 있는 능력

앞서 제시한 크게는 세 가지, 세부적으로는 열다섯 가지 요소들은 안연구소만의 인재상이라기보다는 현대가 필요로 하는 바람직한 전문가상으로 일반화할 수도 있다고 생각한다.

각 분야의 전문가들이 열린 마음으로 힘을 합해서 하나씩 하나씩 큰 일을 이루어나갈 때, 그 조직과 조직원은 함께 발전해 나갈 수 있을 것이다. 그리고 이러한 원리는 조그만 친목 단체에서 하나의 국가에 이르기까지, 사람이 모여서 함께 살아가는 조직이라면 그 규모와 크기에 상관없이 통용될 수 있을 것이라고 생각한다.

안연구소에서는 'A자형 인재'로 바람직한 인재상을 명확하게 제시했으며 동시에 인사 제도 측면에서도 도요타와 개념적으로 유사한 '직종별 전문가 제도'를 도입하였다.

우리나라에서는 전문 분야에서 나이가 들어도 계속 실무를 하는 경우는 드물다. 어느 정도 나이가 들면 관리자가 되면서 실무에서 손을 떼게 마련이다. 나이가 들어도 실무를 담당하고 있으면 주위에서 이상하게 생각하거나, 당사자가 스스로 못 견디고 회사를 그만두는 경우가 많다. 그러다보니 외국처럼 해당 분야에서 계속 경험을 쌓고 넓게 볼 수 있는 기술자가 자리잡기 힘든 실정이다.

그러나 소프트웨어 분야처럼 태생적으로 외국 회사들과 글로벌 경쟁에서 이겨야만 살아남을 수 있는 환경에서는 지식과 경험이 풍부한 전문가 집단이 반드시 필요하다. 따라서 전문가들 스스로도 노력해야 하지만, 조직 차원에서 전문가들이 전문가로서 계속 클 수 있도록 제도를 마련하고 환경을 조성하는 것이 중요하다고 생각한다.

이러한 관점에서 안연구소에서는 전문가로서 계속 발전하기를 원하는 사람들은 관리자가 되지 않고 전문가로서 임원의 자리까지 오를 수 있도록 인사 제도를 마련하여 시행하고 있다.

안연구소의 직종별 전문가 제도는 도요타와 유사한 개념에서 출발하기는 하지만, 세부적인 사항들까지 똑같을 수는 없다. 업종이 다르기도 하지만, 조직마다 고유의 문화와 경험이 다르기 때문이다. 한 회사의 제도를 그대로 다른 회사에 도입해서 실패하는 경우가 많은 것도 그 때문이다. 특히 인사 제도는 해당 조직마다 그 조직의 문화와 구성원의 이해도에 맞는 제도를 수립하고 보완하는 과정을 통해서 독자적인 시스템을 구축하는 것이 바람직하다.

안연구소의 직종별 전문가 제도도 이제 시작 단계에 들어섰다. 그러나 전문가가 제대로 자리를 잡는 조직이나 국가만이 글로벌 경쟁시대에 살아남을 수 있다는 인식을 갖고, 이 제도의 정착을 위해서 열심히 노력할 생각이다.

핵심 가치는 인재상으로 구체화된다

CEO AHN CHEOL SOO

2001년에 출간한 『영혼이 있는 승부』에서 조직 구성원들의 공통된 가치관, 즉 핵심 가치는 그 조직의 영혼과도 같다는 이야기를 한 적이 있다.

조직은 다양한 사람들이 모여서 이루어진다. 따라서 조직 구성원 각자가 가지고 있는 가치관이나 인생의 목적도 저마다 다르다. 이러한 조직 구성원들이 힘을 모아 조직과 구성원 모두가 지속적으로 발전하기 위해서는, 한 지점을 향해 나갈 수 있도록 생각을 공유하는 것이 필요하다.

단기적이고 눈에 보이는 목표뿐만 아니라 더 근본적으로, 우리가 이 조직에서 함께 모여서 일하는 이유는 무엇인지, 그리고 일을 할 때 공통된 판단 기준이나 가치관은 무엇인지를 함께 생각하고 공유할 필요가 있다. 이것이 조직의 존재 의미와 핵심 가치를 확인시키는 방법이다.

핵심 가치가 분명하게 정립되고 신념화하면, 조직의 발전뿐만 아니라 구성원들에게도 유무형의 성취감을 줄 수 있으며 지치지 않는 발전을 가능하게 할 것이다. 또한 이상적인 핵심 가치는 생계 수단

이상의 가치와 의미를 부여하며, 조직이 위기에 처할 때 함께 힘을 모아 극복하게 하는 원천이 되어준다.

조직을 이루고 있는 구성원들이 모여 공통적인 가치관을 형성할 때, 그것은 핵심 가치가 되고 조직의 영혼이 된다. 이러한 조직은 창업자가 죽고 나서도, 세월이 흐르면서 경영진과 조직 구성원들이 바뀌어도 그 영혼을 잃지 않고 함께 살아가는 사회에 기여하는 조직으로 머물 수 있다고 생각한다. 즉 핵심 가치는 유기체가 아닌 조직에 생명을 불어넣어 주는 역할을 하는 것이다.

이러한 관점에서 안연구소는 '끊임없는 연구 개발을 통해 많은 사람이 쉽고 안전하게 기술의 혜택을 받을 수 있게 만든다'는 존재 의미와 '자신의 발전을 위해 끊임없이 노력한다', '존중과 신뢰로 서로와 회사의 발전을 위해 노력한다', '고객의 소리에 귀 기울이고 고객과의 약속은 반드시 지킨다'는 세 가지 핵심 가치를 간직하고 있다.

『영혼이 있는 승부』는 안연구소가 창사 후 6년 동안 이러한 존재 의미와 핵심 가치를 찾아가는 과정을 담고 있다.

그러나 그 이후에 성장하는 조직을 경험하면서, 조직이 영혼을 간직하고 이 세상에서 살아남기 위해서는 존재 의미와 핵심 가치를 정립하는 것은 시작에 불과하다는 것을 알게 되었다.

실제로 조직에서 그러한 생각을 가지고 살아가는 것은 조직 구성원들이기 때문에, 조직 전체의 존재 의미와 핵심 가치뿐만 아니라 구성원 개인들의 바람직한 지향점, 즉 바람직한 인재상이 구체화할 필요가 있음을 깨닫게 되었다. 또한 조직 전체의 핵심 가치와 구성원들의 바람직한 인재상을 뒷받침할 수 있는 인사 제도가 있어야 함은 당연한 일이다. A자형 인재와 직종별 전문가 제도는 이러한 바탕 위에서 만들어진 것이다.

여기서 한 가지 강조하고 싶은 점은 조직의 핵심 가치와 조직 구성원의 인재상은 서로 별개의 것이 아니라는 점이다. 조직 내에서 살아가는 구성원들이 조직의 핵심 가치를 존중하고 따르며, 조직은 구성원들이 바람직한 인재가 되고 발전할 수 있도록 환경을 제공해 주는 상호 발전적인 관계가 되어야만이 조직과 구성원 모두 발전할 수 있고 커다란 힘을 발휘할 수 있다. 따라서 핵심 가치와 인재상은 서로 떼려야 뗄 수 없는 밀접한 관계에 있는 것이다.

안연구소의 핵심 가치와 A자형 인재도 서로 연관되어 있음은 물론이며, 한 걸음 더 나아가서 조직의 핵심 가치를 조직 구성원 개인에게 구체화한 것이 A자형 인재라고 이야기할 수 있다.

'자신의 발전을 위해 끊임없이 노력한다'는 핵심 가치는 A자형 인재의 세 가지 요소 중의 하나인 '전문성'으로 구체화한 것이다. 또한 '존중과 신뢰로 서로와 회사의 발전을 위해 노력한다'는 핵심 가치는 A자형 인재의 '팀워크 능력'에 담겨 있다. 그리고 '고객의 소리에 귀 기울이고 고객과의 약속은 반드시 지킨다'는 핵심 가치는 A자형 인재의 '전문성'을 이루는 다섯 가지 요소 중 하나인 '고객 지향성'에 녹아들어가 있다. 마지막으로 A자형 인재의 '인성'은 이 모두를 이루기 위한 기본적인 밑바탕에 해당된다.

건전한 조직 문화 만들기

CEO AHN CHEOL SOO

존재 의미와 핵심 가치를 찾은 다음 거기에 맞는 구체적인 인재상과 인사 제도를 마련했다면, 이제부터 관심을 가져야 할 또 다른 분야가 조직 문화이다.

사람들이 모여 함께 여러 가지 경험을 공유하고 역사를 쌓아가다 보면 조직마다 특유의 문화가 형성되게 마련이다. 이렇게 형성되는 조직 문화 중에는 조직과 구성원의 경쟁력을 강화해 주는 경우도 있지만, 조직과 구성원의 발전을 오히려 해치는 문화가 존재하는 경우도 많다. 따라서 경영진뿐만 아니라 조직 구성원 모두가 조직 문화의 중요성에 대해서 인식하고, 문제점이 있다면 이를 바람직한 방향으로 개선하려는 노력이 필요하다.

그리고 조직의 핵심 가치가 있다면 이를 강화하는 방향으로 조직 문화가 형성되는 것이 바람직하다. 핵심 가치를 바탕으로 형성된 조직 문화는 다시 핵심 가치를 강화하면서 서로 상승 작용을 일으킬 수 있기 때문이다.

조직의 핵심 가치는 시간이 흐르고 상황이 변한다고 바뀔 수 있는 것이 아니다. 핵심 가치는 조직 구성원들의 공통된 이념이자 가치관,

판단 기준이기 때문이다. 그러나 시대의 흐름에도 변하지 않는 것이기 때문에, 추상적이고 개념적인 경우가 많고 현실을 직접적으로 반영하지 못할 수도 있다.

조직 문화는 핵심 가치의 이러한 점을 보완해 주는 역할을 할 수 있다. 조직 문화는 살아 있는 생물처럼 조직원의 구성과 주위 환경 변화에 따라 바뀔 수 있고, 바뀌어야 하기 때문이다. 핵심 가치에 바탕을 두지만, 좀더 구체적이며 현실의 요구를 반영하면서 역동적으로 변화하는 좋은 조직 문화는 조직 전체에 커다란 힘을 줄 수 있다.

안연구소에서도 이러한 관점에서 '3대 문화 운동'을 시작했다. 개방의 문화, 실행의 문화, 고객 중심의 문화가 바로 그것이다.

개방의 문화는 '자신의 발전을 위해 끊임없이 노력한다' 그리고 '존중과 신뢰로 서로와 회사의 발전을 위해 노력한다'는 두 가지 핵심 가치에 근간을 두고, 현재 구성원들이 우선적으로 노력해야 할 부분을 한층 더 구체화한 것이다.

개방이란 자신의 마음은 물론 지식과 업무까지도 동료들에게 투명하게 공개한다는 뜻이다. 즉 다른 사람들의 생각과 전문 분야에 대해서 존중하고 열린 마음을 가지며, 자신이 알고 있는 지식을 다른 사람들에게 기꺼이 가르쳐주고, 자신이 하고 있는 일에 대해서도 그 과정과 일정을 주위 사람들에게 적극적으로 알림으로써 다른 사람들이 계획을 세우고 일을 할 때 도움이 될 수 있도록 하자는 것이다.

사실 우리나라 사람들은 어릴 때부터 개인 경쟁력 강화에 주로 집중하다보니 개방에 약한 측면이 있다. 자기가 고생해서 알게 된 지식을 다른 사람에게 쉽게 가르쳐주지 않으려고 하고, 팀워크 능력도 약한 경우가 많다. 그러나 복잡하고 급변하는 현대 사회에서 그러한 지식을 자기 혼자만 알고 있다고 해서 그것이 그 사람의 경쟁력을 담보하거나 유지해 주는 것은 결코 아니다.

다른 사람을 가르치기 위해서는 자기가 경험과 학습을 통해서 알게 된 암묵적 지식을 형식화, 표준화하고 이것이 정확한 것인지 검증하는 확인 과정을 거쳐야 한다. 따라서 다른 사람을 가르치는 과정을 통해서 그전까지 어렴풋하게 알던 것을 확실하게 내 것으로 만들게 된다. 배우는 사람보다 가르치는 사람이 더 많이 배울 수 있는 것도 이 때문이다.

글을 쓰는 것도 마찬가지이다. 그동안 경험하고 고민하면서 얻은 지식들은 글을 쓰면서 정리와 확인 과정을 통해 완전히 자신의 것으로 체득할 수 있다.

따라서 가르치거나 글을 쓰는 과정을 통해 자신의 지식을 개방함으로써 그 지식을 완전하게 자신의 것으로 만들고, 다시 다른 새로운 것을 배울 수 있는 여력을 확보해야 한다. 뿐만 아니라 동료들의 발전에도 도움을 줄 수 있는 여러 가지 좋은 결과를 동시에 얻을 수 있을 것이다.

실행의 문화는 '존중과 신뢰로 서로와 회사의 발전을 위해 노력한다' 그리고 '고객의 소리에 귀 기울이고 고객과의 약속은 반드시 지킨다'는 두 가지 핵심 가치에 근간을 둔다. 백 번 고민하는 것보다 작은 한 가지 일이라도 실제로 행동으로 옮기는 것이 훨씬 더 값지다는 마음가짐을 가져야 한다는 의미이다.

작은 회사에서 커다란 규모의 국가에 이르기까지 조직들이 실패하는 이유에는 여러 가지가 있지만, 전략이 잘못되거나 시스템에 문제가 있는 경우보다는 오히려 실행 능력의 부족에서 비롯하는 경우가 많다. 논의만 무성하고 구체적인 결과가 없거나, 고민하고 기안하는 데만 시간과 에너지를 소모하거나, 구체적인 실행 계획 없이 일에 뛰어들거나, 조직 전체의 기본적인 목적은 잊어버리고 자신이 맡은 일 자체에만 매달려서 주위를 돌보지 않다보면, 애는 쓰지만 한 발짝도 앞으로 나아가지 않는 상황에 빠질 수밖에 없다.

따라서 고민을 하거나 일을 했다는 사실 자체보다는, 어떠한 결과를 얻었는지 그리고 그 결과가 고객과 시장에 어떠한 혜택을 줄 수 있는지를 중심으로 생각하는 자세가 필요하다. 즉 실행의 문화는 실행 그 자체에 가치를 부여하는 문화를 만들자는 의미인 것이다.

고객 중심의 문화 또는 시장 중심의 문화는 '고객의 소리에 귀 기울이고 고객과의 약속은 반드시 지킨다'는 핵심 가치에 기초하고 있다.

고객 중심의 문화란, 문제에 대한 답을 조직 내부에서 스스로 판단하는 것이 아니라 고객과 사용자, 시장의 생각을 존중하고 이에 따르는 것이다. 또한 조직 내부 문제에만 골몰하기보다는, 외부의 동향을 지속적으로 파악하고 커다란 외부 환경의 변화 속에서 조직의 문제를 생각하는 폭넓은 사고 방식까지를 포함하는 것이다.

진정한 고객 중심의 문화가 정착될 때, 해당 조직은 함께 살아가는 사회와 같이 숨쉬며 서로에게 기여하는 소중한 존재가 될 수 있다고 생각한다.

작은 조직과 큰 조직의 차이점

CEO AHN CHEOL SOO

작은 조직에서는 별다른 시스템이 갖추어져 있지 않더라도 커뮤니케이션을 하고 업무를 하는 데 큰 문제가 발생하지 않는다. 그러나 조직의 규모가 100명 이상을 넘어가게 되면 커뮤니케이션과 업무 분담 등에 있어서 여러 가지 문제들이 발생하게 된다.

따라서 조직이 커질 때는 그 규모와 문화에 맞는 효율적인 정보공유 프로세스를 만들고, 문제점들을 계속 해결해 나가는 것이 중요한 과제이다. 이러한 과제를 어떻게 슬기롭게 해결해 나가는 가에 따라 조직의 성쇠가 결정된다 해도 과언이 아니다.

일정 규모 이상의 조직이 한 사람의 몸처럼 움직이기 위해서는 두 가지가 반드시 갖추어져야 하는데 시스템과 가치관 공유가 그것이다.

시스템은 업무 분장, 업무 프로세스, 평가 및 보상 시스템 등 사람들이 모여서 일을 해나가는 데 필요한 정형화된 틀을 말한다. 또한 조직에 있어서 가치관이란 구성원들이 공유하는 공통적인 판단 기준이라는 것은 앞에서도 언급한 바 있다.

조직이 커지면서 시스템에만 신경을 써 가치관에는 소홀해지기 쉽지만, 두 가지 요소 중 한 가지라도 부족하게 된다면 장기적인 성공은 그만큼 힘들게 된다.

그런데 작은 조직과 큰 조직 사이에는 커뮤니케이션이나 시스템의 문제에서 볼 수 있는 것보다 더 근본적인 차이점이 존재한다. 작은 조직은 태스크(task) 지향적이지만 큰 조직은 프로세스(process) 지향적이라는 점이다.

작은 조직에서는 한 사람이 한 가지 일을 전적으로 책임지고 처음부터 끝까지 일을 처리하는 경우가 많다. 한 사람에게 그 일에 관한 모든 권한과 책임이 부여되는 것이다. 따라서 만약 그 사람이 일처리를 잘못하는 경우에는 조직 전체가 그 일을 잘못하는 것이 되며, 만약 그 일이 조직 차원에서 중요한 일일 경우에는 전체가 흔들릴 수 있다. 반대로 한 사람이 재능을 충분히 발휘하여 아주 빠른 시간 내에 커다란 공헌을 할 수도 있다.

따라서 작은 조직에는 이러한 종류의 성취감을 느끼는 태스크 지향적인 사람들이 모이는 경향이 있다. 중소기업이나 초기 벤처기업에 태스크 지향적인 사람들이 모이는 것도 이러한 이유 때문이다.

반면에 큰 조직에서는 한 사람만이 할 수 없는 큰 일을 여러 사람들이 여러 단계의 프로세스로 나누어 처리해 나간다. 즉 한 사람이 한 가지 일을 처음부터 끝까지 처리하는 것이 아니라 여러 사람이 각각의 프로세스를 담당하고 서로가 커뮤니케이션을 통해 함께 이루어 나가는 것이다. 따라서 큰 조직에는 협력을 통해 커다란 일을 함께 이루는 데서 성취감을 느끼는 프로세스 지향적인 사람들이 모이는 경향이 있다.

그런데 문제는 사람의 성향과 조직의 규모가 서로 맞지 않는 경우이다. 태스크 지향적인 사람이 큰 조직에서 일하는 경우에는 자신이 할 수 있는 일은 아무것도 없다는 느낌이 들게 된다. 혼자서 처리할 수 있는 일은 거의 없고, 대부분의 일을 다른 사람의 협조를 얻어야만 진행할 수 있기 때문이다. 자신이 맡은 부분은 잘 처리했음에도 다른 사람이 맡은 부분 때문에 전체적으로 일이 잘 진행되지 않을 때 불만을 느끼고 좌절하게 된다. 이러한 사람은 큰 조직에서 자신이 하나의 작은 부품처럼 느껴져 성취감을 느끼지 못하게 된다.

또한 프로세스 지향적인 사람이 작은 조직에서 일하는 경우에는 정반대의 일이 벌어진다. 일을 해나갈 때 도와주는 사람이나 지원 조직 없이 혼자서 필요한 모든 것을 만들어나가야 한다는 사실에 당황하게 되는 것이다. 또한 모든 책임을 자신이 져야 한다는 사실에 과중한 압박감을 느껴 힘들어 하는 경우도 많다.

특히 조직이 작은 규모에서 큰 규모로 급속하게 발전하는 경우에 이 두 가지 문제가 동시에 발생하기 쉽다. 기존의 태스크 지향적인 사람들은 프로세스 지향으로 변화하는 조직에 적응해야 하며, 새로 영입되는 프로세스 지향적인 사람들은 아직도 태스크 지향적인 요소가 남아 있는 조직에 적응해야 하는 부담감을 안게 된다.

비단 기업만이 아니다. 우리나라처럼 단순한 사회가 급속하게 발전하는 경우에도 사회 곳곳에서 이와 비슷한 일이 벌어지는 경우가 많다.

따라서 이러한 경우에 조직의 리더들은 구성원들의 특성을 잘 파악해 적절한 일을 맡김과 동시에, 조직의 변화에 구성원들이 잘 적응할 수 있도록 활발한 커뮤니케이션을 통해 도움을 주어야 한다.

즉 큰 조직 안에 능력은 있지만 태스크 지향적인 사람이 있다면 다른 조직과 관련이 적은 특별한 임무를 맡기거나 새로운 조직을 셋업하는 일을 맡길 수 있다. 또한 조직 전체가 작은 조직에서 큰 조직으로 변화하는 경우에는 구성원들에게 앞으로 어떤 일이 기다리고 있을 것이라는 것을 미리 주지시키고 구성원들이 변화하는 조직에 맞는 사람이 될 수 있도록 도와주어야 한다.

조직 구성원들도 현재 자신이 속한 조직의 특성을 파악해 자신의 능력을 최대한 발휘할 수 있는 적합한 일을 찾아가며 적응하는 데 노력하는 것이 바람직하다.

조직 발전에 필요한 기본적인 시스템들

CEO AHN CHEOL SOO

단세포 생물이 단순히 몸집만 커진다고 다세포 생물이 되는 것은 아니다. 크기가 커지면서 반으로 쪼개지는 분할만을 반복할 뿐이다. 하지만 변화하는 환경에 적응하고 계속 생존하기 위해 다세포 생물로 진화하게 될 경우 몇 가지 필수적인 시스템을 갖추게 된다. 각 장기별로 특별한 활동을 분담하는 것만으로는 불충분하고, 이들 전체를 연결하여 정보를 수집하고 공유하고 관리하는 시스템이 필요하기 때문이다.

이러한 시스템 중 가장 중요한 것으로 신경계통을 꼽을 수 있다. 외부의 환경 변화를 감지하고 그 정보를 적절한 곳에 전달함과 동시에, 중추신경계에서 내린 판단에 따라 세포들을 움직일 수 있게 해주는 것이 신경계통의 중요한 역할이다.

심혈관계통 또한 대단히 중요한 시스템으로 생명체가 살아가는 데 필수적인 산소와 영양분 등을 세포로 공급하고 호르몬을 내분비계를 통해 필요한 곳으로 전달하는 역할을 담당한다.

또한 다세포 생물 중 고등한 생명체일수록 뇌가 발달해서 자신의 몸에 대한 정보와 주변 환경에 대한 상황분석을 기반으로 종합적인 판단을 할 수 있게 되어 장기적인 생존과 번영이 가능하게 되었다.

사람이 모여서 만든 조직도 다세포 생물과 유사한 측면이 많다. 한 사람이 일을 할 때는 혼자서 모든 일을 다 해야 하지만, 조직으로서 일을 할 때는 각자 또는 각 부서가 맡은 일을 충실히 수행함과 동시에 조직 전체적으로 외부와 내부의 정보를 수집하고 공유하고 관리하는 시스템을 필요로 하게 된다.

다세포 생물의 신경계통과 유사한 역할을 하는 것이 정보관리 시스템인데, 이 시스템은 시장의 변화와 고객 요구에 대한 정보를 정확하고 신속하게 수집하고, 이를 필요로 하는 담당자 또는 담당 부서에 전달하는 역할을 수행한다.

예를 들어 시장 정보의 경우에는 고객 접점에 있는 부서에 정보 수집의 역할을 부여하고, 적절한 곳에 정보가 전달될 수 있는 프로세스와 효과적인 커뮤니케이션 방법을 고안하며, 경영진에서도 관심을 가지고 지속적으로 평가하고 보완하는 노력이 필요하다.

다세포 생물의 심혈관계통과 유사한 역할을 하는 것은 재무관리 시스템과 인사관리 시스템이라고 할 수 있다.

어떤 일을 할 때 자금과 인원이 얼마나 필요하고, 현재 어느 정도가 소진되고 있으며, 결과적으로 그러한 계획과 판단이 적절했는지를 파악하는 이러한 일련의 일들은 심혈관계통이 세포나 기관에 적절한 영양분을 공급하고 내부의 정보를 전달하는 일과 다를 바가 없다.

뇌가 몸의 각 부분에 대한 상태를 감지하여 적절한 식생활과 운동을 제어하고 이상이 생겼을 때는 병원으로 가야 한다는 판단을 하는 것처럼 이러한 역할을 하는 것이 업무관리 시스템이다.

큰 조직에서는 각자가 일을 나누어서 맡기 때문에 개개인의 작업 진척도가 서로에게 영향을 미치게 된다. 따라서 어떤 일이 현재 어디까지 진행되었는지를 관계자 모두가 잘 알고 있어야 그 일을 성공적으로 마무리할 수 있다. 만약 하나의 일정에 차질이 빚어진다면 연계된 다른 많은 사람들의 업무에도 영향을 미치게 되므로, 빠른 시간 내에 업무 진척도를 파악하고 적절하게 대처를 해나가는 시스템이 갖추어져야 한다.

이렇듯 다세포 생물이 생존을 위해 다양한 시스템을 필요로 하는 것과 마찬가지로, 조직도 성장함에 따라 각 부서마다 적절하게 업무를 나눔과 동시에 조직 전체를 아우르는 정보, 재무, 인사, 업무 관리 시스템이 필요하게 된다. 또한 이러한 시스템이 갖추어져야 조직 내부와 외부의 정보를 공유하고, 건전한 상호 보완 및 견제를 통해 시행착오를 줄일 수 있게 된다.

작은 조직에 익숙한 사람들은 이러한 시스템을 간섭이나 감시로 잘못 생각할 수도 있다. 그러나 큰 조직에서는 각자가 자기 일만 잘하면 되는 것이 아니라, 정보공유와 상호견제를 통해 서로가 도움을 주고받으면서 전체의 목표를 달성하는 것이 꼭 필요한 생존 방식이라는 점을 인식해야 한다.

관리자의 역할, 구성원의 역할

관리자는 조직이 해야 할 일을 구성원들과 함께 이루어나가는 사람이다. 그 일을 하기 위한 권한을 위임받아 좋은 결과를 얻기 위해 최선을 다하고, 나온 결과에 대해서 최종 책임을 지는 사람도 관리자이다. CEO를 포함한 경영진, 그리고 부서장이나 팀장과 같은 중간 관리자 모두 이러한 범주에 속하는 관리자들이다.

관리자는 단순한 감시자나 감독자가 아니다. 관리자는 조직의 우선 순위를 재조정하고, 인력과 자금 등의 자원(resource)을 적절하게 분배하고, 문제 해결이나 개선 등을 통해서 조직의 부가가치 창출을 극대화하는 일을 하는 사람이다. 예를 들어서 실무자 두 사람만으로는 1+1=2와 같은 결과가 나온다면, 관리자는 이를 2가 아닌 3이나 4 이상으로 만들어내는 일을 해야 하는 것이다.

만약에 관리자가 자기가 맡은 조직에서 1+1=2 정도에 머무는 결과밖에 내지 못한다면, 그 관리자는 실무자들이 일한 결과에 전혀 부가가치를 보태주지 못한 것은 물론이며 오히려 조직의 효율을 떨어트리고 커뮤니케이션만 가로막는 존재로밖에 평가받지 못한다.

또한 관리자는 구성원 개개인들의 가치를 높여주어야 한다. 구성원들에게 구체적인 목표와 권한을 주고, 진행 상황을 감독하면서 적절한 의사결정과 조언을 통해 구성원들이 성장하고 발전할 수 있도록 지도할 책임이 있다. 조직의 비전과 개인의 비전을 같은 방향으로 맞추어주고, 모자라는 부분에 대해서 교육을 받을 수 있도록 배려해 주는 것도 관리자가 해야 할 일이다.

관리자는 조직의 부가가치 창출을 극대화하고 구성원 개개인들의 가치를 높여주며, 구성원들은 자신이 소속된 조직이 최고가 될 수 있도록 노력하는 이상적인 관계가 형성되면 관리자, 조직 구성원, 그리고 조직 모두가 함께 발전할 수 있을 것이다.

그러나 실제로 이러한 이상적인 관계가 형성되기 위해서는 양쪽 모두의 끊임없는 노력이 전제가 되어야 한다. 이상적인 관계를 위해서는 관리자나 구성원 모두 올바른 생각과 이상적인 역량을 갖추어야 하는데, 현실에서는 올바른 생각을 가지고 있어도 모든 면에서 충분한 실력을 갖추기는 어려운 경우가 많기 때문이다.

따라서 관리자나 구성원 모두 조직 생활에서 가장 기본적으로 갖추어야 할 점은 자기 자신에 대한 객관적이며 냉정한 시각이다. 일반적으로 사람들은 자기중심적으로 생각하는 경향이 강하다. 일이 잘못 되었을 때 자신보다는 다른 사람이나 외부 환경에서 원인을 찾으려고 하며, 자기가 어떤 부분을 고쳐야 하는지 깊이 생각해 보지 않아서 잘 모르는 경우도 많다. 그러나 그러한 태도에서 벗어날 수 있어야만 자신의 역량을 강화하여 발전할 수 있다.

관리자는 조직의 구성원들이 해놓은 일에 자신이 어떤 것을 보탰는지, 어떤 공헌을 했는지 자문해 보아야 한다. 여기에는 자기가 없었다면 일이 어떻게 진행되었을지 생각해 보는 것도 자신의 역할을 구체적으로 깨닫는 데 도움이 될 수 있다.

구성원들도 '제대로 된 사람 또는 성공할 사람은 다른 사람이 관리할 필요가 없는 사람이다' 라는 말을 명심해야 한다. 자신이 맡은 일에 대해서 관리자가 신경쓰는 빈도가 많아진다면, 그것은 현재 자신이 일을 제대로 못하고 있을 가능성이 크다고 봐야 한다. 물론 관리자 자신의 스타일에 따라 자세한 내용까지 점검하는 경우도 있지만, 그 빈도가 많아지고 점점 더 세부적인 내용까지 들어간다면 관리자보다는 실무자 측에 문제가 있을 가능성이 더 많다. 따라서 이러한 경우에는 불평보다는 스스로 자신의 문제점을 찾아내고 그것을 해결하려고 노력함으로써 자기 발전의 계기로 삼는 것이 바람직하다.

이와 반대로 자신에 대한 관리자의 개입이 적다고 해서 그 상태에 만족하고 안주해서는 안 된다. 자신이 잘못하고 있음에도 관리자의 역량이나 시간이 부족해서 미처 살펴보지 못하는 경우도 있기 때문이다. 따라서 어떠한 상황에서도 자발적으로 동기부여를 하고 자신을 관리하면서 역량을 강화하는 것이 바람직한 삶의 태도일 것이다. 자기 자신에 대한 관리는 타인이나 조직을 위해서 하는 것이 아니다. 이는 우선적으로 본인을 위한 것이다. 발전함으로써 가장 큰 혜택을 보는 것도 자기 자신이며, 실력이 부족해서 가장 큰 손해를 보는 것도 자기 자신이기 때문이다.

자기 개발을 하는 데 조직의 도움이 없다거나 일이 바빠서 시간을 낼 수 없다고 불평만 하고 아무것도 하지 않는 것만큼 어리석은 일은 없다. 발전할 수 있는 사람은 아무런 외부의 도움이 없어도 그리고 아무리 바빠도 스스로의 의지와 동기부여, 그리고 자기 관리를 통해서 노력하는 사람들이다. 이러한 사람에게 조직에서 교육과 같은 발전의 기회를 제공해 주면 그 사람에게는 날개를 달아주는 격이 될 것이다. 반면에 의지가 부족한 사람에게는 조직에서 아무리 많은 기회와 도움을 주어도 발전을 기대하기란 힘들다. 결국 가장 중요한 것은 외부 여건이 아니라 자기 자신의 의지인 것이다.

특히 젊을 때의 하루하루는 나중에는 결코 다시 얻지 못할 소중한 시간들이다. 세계적인 영화감독 중 한 사람인 장이모 감독은 인터뷰에서 이런 말을 한 적이 있다. 자신이 앞으로 살아갈 날이 30년 정도가 남았다면 날짜로 따진다면 10,000일 정도인데, 그 중 1/3은 잠을 자면서 보내고, 1/3 정도는 목욕하고 밥을 먹고 차로 이동하고 휴식하는 데 보내는데 그러고 나면 일을 할 수 있는 시간은 나머지 3,000여 일 정도밖에 없다는 것이다. 나에게 주어진 3,000일, 이 소중한 시간을 어떻게 쓸 것인가 고민하면서 살아간다면 좀더 가치 있고 후회 없는 삶을 살아갈 수 있지 않을까 생각한다.

진정한 권한 위임의 의미

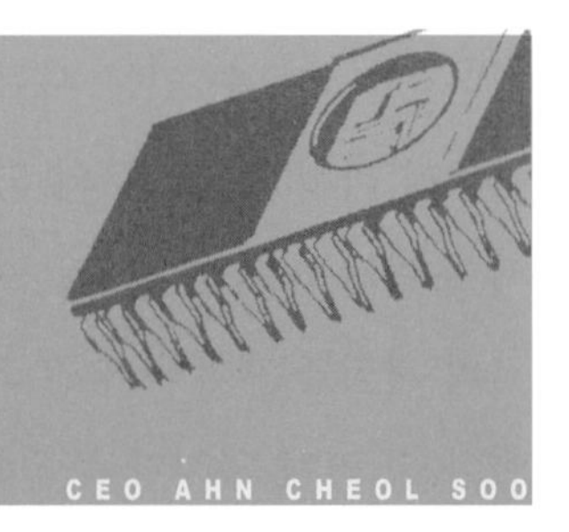

CEO AHN CHEOL SOO

경영의 본질은 '다른 사람을 통해서 일을 하는 것'이라고 할 수 있다. 관리자는 이를 위해서 조직 구성원에게 목표, 자원, 권한을 배분해 주고, 구성원들이 하고 있는 업무를 관리한다. 그러나 조직을 처음 맡는 관리자나 조직 생활을 처음 해보는 구성원들이 쉽게 빠지곤 하는 함정이 하나 있는데, '권한 위임'에 대한 잘못된 인식이 그것이다.

권한 위임이라고 하면 흔히들 믿고 맡기는 것이라고 생각한다. 관리자도 일을 맡긴 다음에 결과를 가져올 때까지 기다리고, 구성원들도 관리자의 간섭을 받지 않고 보고할 필요 없이 자신들만의 판단으로 일을 처리하는 것을 권한 위임이라고 생각한다.

그러나 이것은 엄청나게 잘못된 생각이다. 믿고 맡긴다는 명목하에 그냥 내버려두는 것은 권한 위임이 아니라 방임에 지나지 않는다. 관리자가 권한 위임이라는 명목하에 모든 일을 구성원들에게 맡기고 내버려두었다가 문제가 생겼을 때에야 질책하는 것은 올바른 태도가 아니다. 마찬가지로 구성원들도 관리자가 도중에 일의 진행을 파악하는 것을 자신을 못 믿기 때문이라고 생각하여 섭섭해 하는 것은 옳지 않은 일이다.

진정한 권한 위임이란 관리자가 구성원들을 믿고 일을 맡기는 동시에, 일의 진행 상황을 파악하면서 적절한 때에 필요한 도움을 주는 것이다. 즉 관리자의 오랜 경험과 지식을 바탕으로, 일이 잘못되기 전에 제대로 된 방향을 알려주고 바로잡아 줌으로써 성과를 높이고 구성원들이 발전할 수 있도록 도와주는 것이다.

관리자의 권한 위임은 스포츠에서 감독과 같은 역할이라고 볼 수 있다. 경기는 선수에게 믿고 맡기지만, 감독은 전체적인 전략을 짤 뿐만 아니라 각 선수들의 행동을 관찰하고 필요한 조언을 해주면서 경기를 이끌어간다.

따라서 관리자가 권한 위임을 했다고 해서 결과가 나올 때까지 내버려두는 것은 막상 경기가 벌어지고 있는데도 쳐다보지 않고 신문만 보는 감독과 다를 바 없으며, 관리자가 실무자의 일들을 살펴본다고 해서 기분 나빠하는 것은 감독의 지시를 무시하고 자기 뜻대로 경기를 진행하는 운동선수와 다를 바 없는 것이다.

제대로 된 권한 위임이 이루어지기 위해서 관리자가 필수적으로 갖추어야 할 것이 있다. 바로 현장감 있는 전문 지식, 올바른 '챙기기' 방법, 그리고 문제 해결 및 개선 능력이다.

관리자가 되면 세부적인 사항에 대해서는 몰라도 되거나, 모르는 것이 미덕처럼 여겨지던 시절도 있었다. 그러나 급변하는 정보화 시대에서는 전문성을 가진 관리자와 자율적인 조직원이 제대로 된 권한 위임을 통해 협력해 나가는 조직만이 생존하고 발전할 수 있는 환경이 되어가고 있다.

관리자의 입장에서 자신이 모르는 일을 맡기는 것은 방임이 될 수밖에 없다. 따라서 관리자에게는 실무자만큼은 아니어도 업무에 대한 전문 지식과 일하는 방법에 대한 파악이 필수적이다. 즉 관리자 스스로도 알고 있고 할 수 있는 일을, 좀더 전문성이 있는 조직원에게 넘겨주는 것이 권한 위임의 기본 요건인 것이다.

인텔 사의 전 CEO인 앤디 그로브에 대한 평 중에서 가장 가슴에 와닿았던 것이 'passion for details', 즉 세부적인 사항에 대한 열정이었다. 나이가 들고 지위가 높음에도 여전히 세부적인 사항에 대해 현장 감각을 잃지 않기 위해서 열정을 가지고 학습하는 태도는 많은 사람들의 귀감이 되기에 충분하다고 생각한다. 인텔과 같은 거대한 회사의 CEO도 세부적인 사항을 잘 알고 있어야 하는데, 그보다 작은 조직들에서는 말할 나위가 없을 것이다.

전문 지식과 함께 관리자로서 반드시 갖추어야 할 것이 올바른 '챙기기' 방법이다. '일 잘하는 사람과 일 못하는 사람은 챙기는 방법이 다르다'는 말이 있다. 어떤 관리자는 조직에서 하는 일을 열심히 챙기는데도 일이 제대로 진행되지 않고 오히려 여기저기 사고만 나서 뒷수습하기에 정신이 없는 경우가 있다. 이러한 경우를 자세히 살펴보면 관리자가 열심히 챙기기는 하지만 챙기는 방법이 잘못된 경우가 많다.

제대로 챙기기 위해서는 세 가지 요소가 필수적이다. 첫째 전문 지식이 있어야 하고, 둘째 보고를 받으면서 적절한 질문을 할 수 있어야 하며, 셋째 꼭 필요한 부분에 대해서는 이야기만 듣기보다는 납득할 수 있는 증거를 확인해 나가는 절차가 있어야 한다.

전문 지식 없이 챙기기만 부지런히 하는 것은 요식 행위에 지나지 않는다. 또한 보고를 받으면서 꼭 고려해야 할 사항에 대해서 실무자가 생각해 보거나 대책을 세웠는지, 결정을 내릴 때 어떠한 근거로 판단했는지, 자원의 배분은 적절한지, 앞으로 고려해야 할 위험요소들과 이에 대한 대책들에는 어떠한 것이 있는지 등에 대한 적절한 질문을 해야 한다. 또한 말로만 듣고 넘어가기보다는 필수적인 부분 또는 임의로 일부분을 선정해서 직접 자료나 증거들을 눈으로 확인하는 과정을 반드시 거쳐야 한다.

이러한 요소들 없이 담당자의 보고만 듣거나 핵심적인 부분에 대해서 제대로 질문을 하지 않고 확인 과정도 거치지 않다보면, 현장에서 벌어지고 있는 실제 상황을 파악하지 못해 문제점이나 개선할 점을 모르고 지나칠 수밖에 없다. 이렇게 되어서는 관리자로서 조직의 성과를 향상하기 위한 어떠한 도움도 줄 수 없으며, 관리자 본연의 임무도 제대로 하지 못하게 된다.

전문 지식, 올바른 챙기기 방법 이외에도 중요한 것이 관리자의 문제 해결 및 개선 능력이다. 이러한 능력이 부족한 경우에는 챙기기만 하고 도움을 주지는 못하기 때문에 구성원들에게는 관리자의 행동이 간섭 또는 관리를 위한 관리로만 비칠 가능성이 많다.

관리자는 구성원들이 성과를 높일 수 있도록 도와주는 사람이라는 믿음을 심어주고, 같이 일을 해나가면서 이를 증명해 보이는 과정을 통해서만이 진정한 리더십을 발휘할 수 있다. 리더십은 회사에서 부여하거나 혼자 만들어나가는 것이 아니라, 구성원들의 인정을 통해서 얻어지는 것이기 때문이다.

관리자가 해야 할 일

CEO AHN CHEOL SOO

관리자가 해야 할 일들을 업무 중심적으로 보면 관리자가 맡은 조직 내부의 일과 외부의 일로 크게 구분할 수 있다.

조직 내부의 일 중에서 가장 중요한 것이 업무 관리와 인사 관리임은 당연하다. 관리자가 업무 관리를 할 때는 항상 다음의 네 가지 점에 대한 고려가 필수적이다.

첫째는 업무의 우선 순위를 가리는 일이다. 조직에서는 동시에 여러 가지 업무를 진행해야 하기 때문에 그 중에서 어떤 업무를 우선적으로 진행해야 하는지를 가려내야 한다.

구성원들은 자기 나름대로의 판단기준으로 주어진 일들의 우선 순위를 판단하고 자신들이 맡은 일을 열심히 수행한다. 그러나 조직 전체적으로 봤을 때의 시급하고 중요한 일들이 각자가 하고 있는 일과 일치하지 않을 수 있다. 관리자가 각 구성원들 그리고 맡은 조직의 우선 순위를 조정해 주어야 하는 이유도 여기에 있다.

이러한 우선 순위의 조정이 없다면 구성원들은 열심히 일하지만 그 노력들이 전체의 발전에는 그리 도움이 되지 않는 결과를 낳을 수 있다. 즉 모두가 열심히 일하는데도 조직 전체는 추락하는 일이 벌어질 수 있는 것이다.

단, 관리자가 우선 순위를 정할 때 명심할 점은, 자신이 맡은 조직뿐만 아니라 그 조직이 속해 있는, 더 큰 조직의 전체적인 연관 관계하에서 판단해야 한다는 것이다. 만약 자신이 맡은 조직이 회사에서의 한 부서라면, 부서만을 생각하기보다는 전사적인 관점을 가져야 한다는 뜻이다.

이러한 고려 없이 자신의 조직만을 생각해서 판단하면 이는 그 조직에는 단기적으로 좋을 수도 있지만, 전체적으로는 중요한 일이 진행되지 않아 전체의 경쟁력을 떨어뜨리고 결국 그 조직에도 좋지 않은 결과를 초래할 수 있기 때문이다.

둘째는 일정 관리이다. 세상의 모든 일들이 다 그렇지만, 어떤 일을 할 때 그것을 제 시간, 미리 합의하고 약속한 시간 내에 해결하는 것은 참으로 중요하다. 이는 여러 조직들이 함께 하나의 큰일을 만들어나가는 경우에는 더욱 그렇다. 이러한 시간 개념은 관리자부터 확실히 가지고 있어야 실무자들이 현장에서 실천할 수 있다.

어떤 일이 필요한 시한 내에 수행되지 않으면 조직의 경쟁력을 떨어뜨리는 것도 문제지만, 연관된 조직이나 상위 관리자가 계속 기다리고 상황을 파악하기 위해 시간을 쓴다는 점이 또 다른 문제인 것이다. 다른 조직이나 상위 관리자가 이러한 일에 시간을 쓰게 되면 그만큼 다른 일에 시간을 못 쓸 것이며, 일 자체뿐 아니라 조직의 전체 속도까지 더욱 느리게 만들게 된다.

따라서 불가피하게 일정이 지연되는 경우에는 연관된 조직이나 상위 관리자가 챙기기 전에 먼저 지연된 사실과 원인, 그리고 수정

된 일정 계획에 대해 미리 알려주는 것도 관리자가 반드시 해야 할 일이다.

셋째는 문제 해결이다. 더 정확하게 말하면 어떤 문제가 생겼을 때 일시적인 증상 치유만 하는 것이 아니라, 원인을 파악하고 다시 그러한 문제가 발생하지 않도록 시스템 자체를 정비하는 일이다.

예를 들면 공장에서 부품 하나가 고장났을 때 구성원들은 고장난 부품을 새 부품으로 교환하여 작업이 계속 진행될 수 있도록 하겠지만, 관리자는 어째서 그 부품이 망가졌는지를 연구해서 다시는 이러한 문제가 생기지 않도록 해야 하는 것이다.

넷째는 효율성 제고 및 개선이다. 좋은 관리자는 새로운 프로세스를 만드는 사람이 아니라 기존의 프로세스를 없애거나 줄여가는 사람이라는 말이 있다.

관리자는 문제가 발생하지 않는 상황에서도 현상유지에 만족하기보다는, 효율성 및 문제 발생 가능성의 측면에서 개선할 점이 없는지 문제의식을 가지고 끊임없이 고민하고 고쳐나가는 자세를 가져야 한다. 이러한 과정을 통해서 더 효율적인 운영과 고품질의 결과를 얻을 수 있음은 물론이며, 미래에 발생할 수 있는 문제들까지 미리 차단할 수 있는 것이다.

이를 위해서 관리자들은 스스로 자기가 맡은 조직의 특성에 맞는 효율성 지표를 설정하고, 매년 개선 목표를 정한 다음 이를 실천하는 것이 바람직하다. 효율성 지표에는 인당 매출과 같은 인적 생산성 지표도 있으며, 인당 경비와 같은 관리 지표, 또는 안연구소의 ASEC (AhnLab Security E-response Center, 시큐리티 대응센터)와 같은 경우라면 컴퓨터 바이러스에 대한 응급 대응 시간과 같은 지표도 있을 수 있다.

인사 관리 측면에서 특히 관심을 가져야 할 부분들은 구성원들의 능력 파악, 커뮤니케이션, 육성, 평가, 제도화이다.

인사 관리는 구성원 개인들의 능력 파악에서 시작한다고 해도 과언이 아니다. 인사 관리와 업무 관리는 서로 떨어져 있는 것이 아니다. 능력에 적합한 일을 부여하고, 업무의 우선 순위를 조정해 주고, 문제점을 해결해 주고, 적절한 시기에 본인이 원하고 능력에 맞는 업무로 옮겨준다면 인사 문제의 많은 부분들이 해소될 수 있기 때문이다. 따라서 이를 위해서는 각 구성원들이 어떤 일은 할 수 있고 어떤 일은 할 수 없는가에 대한 능력 파악이 선행되어야 한다.

투명하고 합리적인 커뮤니케이션은 인사 관리의 핵심적인 요소이다. 특히 관리자의 커뮤니케이션은 구성원과 조직의 방향을 일치시키고 서로간의 이해의 폭을 넓히는 가교의 역할을 담당하기 때문에, 여러 사람들이 모여서 하나의 일을 이루어나가기 위해서는 필수적인 것이다. 면담이나 여러 공식, 비공식적인 만남을 통해서 구성원들의 생각과 고민을 청취하고 조직적으로 해결이 필요한 부분은 적극적으로 노력하며, 반대로 구성원들의 의견 중 경험과 시야가 좁아서 잘못 생각하고 있는 부분이 있다면 선배의 입장에서 바르게 고쳐주고 지도해 주어야 한다.

일을 통해서 그리고 교육을 통해서 구성원에게 성장의 기회를 제공하는 것도 관리자가 신경 써야 할 부분이다. 아무런 도움 없이도 성장하려는 의지가 있는 사람만이 결국 발전할 수 있는 법이지만, 스스로 노력하는 사람에게 관리자의 조그만 도움은 큰 힘이 될 수 있다.

평가는 인사 관리에서 가장 중요한 부분이다. 관리자들은 평가에 15% 정도의 시간을 쓰는 것이 바람직하다는 이야기가 있는데, 일주일에 최소한 하루 정도의 시간은 평가와 관련한 활동에 할애하는 것이 좋다. 그러나 평가만을 위한 시간을 가지는 것보다 더 중요한 것은 평소에 업무를 하거나 회의를 하면서 필요한 사항을 기록으로 남기는 일이다. 이런 기록은 공정한 평가뿐만 아니라 구성원의 발전을 위해 사례에 근거한 조언을 해야 할 때 반드시 필요하기 때문이다.

제도화 노력은 조직의 근본적이며 장기적인 개선의 관점에서 이루어져야 한다. 관리자가 구성원들과 면담을 하고 술자리를 자주 가진다고 해서 인사 관리나 모럴 관리가 잘되는 것은 아니다. 또한 관리자가 구성원들의 의견에 전적으로 동조하고 구성원의 편에 서서 조직에 대한 불평불만을 같이 나눈다고 해서 인사 관리가 잘되는 것도 아니다. 인사 관리 과정에서 전체적인 인사 제도로 해결해야 할 부분이 있다면 이를 반영하기 위해 노력하는 것이 근본적인 개선을 이룰 수 있는 방법이다.

마커스 버킹엄의 『First, Break All the Rules』에서 갤럽의 대규모 조사를 통해서도 입증된 것처럼, 유능한 직원이 떠나는 이유는 기업의 비전이나 CEO의 능력이 아니라 직속 상사 때문이며, 유능한 직원이 그 기업에 얼마나 오랫동안 머무르고 얼마나 높은 생산성을 유지하느냐는 것도 직속 상사에게 달려 있다는 점을 명심해야 할 것이다.

관리자가 해야 하는 조직 외부의 일들이란 수평 관계에 있는 다른 부서들 그리고 상위 관리자와의 관계에서 해야 하는 일들을 말한다. 즉 업무 관계로 연결되어 있는 다른 부서와의 원활한 커뮤니케이션과 협조, 상위 관리자에 대한 업무 보고, 정보 제공, 제도화 제안 등의 일이다.

특히 업무 보고의 경우에는 어떤 사항을 보고해야 하고 어떤 사항은 보고할 필요가 없는지를 판단하는 능력이 대단히 중요하다. 반드시 보고되고 공유되어야 할 일을 해당 조직 내부에서만 알고 있을 경우에는 상위 관리자가 중요한 전략적인 판단을 하거나 자원을 배분할 때 오판할 가능성이 높아진다. 해당 조직의 문제점이나 개선점을 파악하거나, 전체적인 우선 순위와 전략의 일관성을 검증하기도 힘들어지는 것은 물론이다.

반대로 보고할 필요가 없는 일을 보고하고, 권한 위임을 받은 일에 대해서도 판단을 미루고 책임을 전가하는 것도 보고해야 할 일을 보고하지 않는 것만큼이나 바람직하지 않은 행동이다.

상위 관리자에게 결정해야 하는 일들이 과도하게 집중되면 결정이 늦어지고 조직 전체의 속도가 떨어지게 마련이다. 또한 너무 바쁘면 일관성을 유지하기도 힘들어지고 결정 과정에서 오류를 범할 가능성도 높아진다. 더구나 시급한 일처리에만 시간을 쓰다보면 전체적이며 장기적인 전략에 대해서는 생각할 여유가 없어지기 때문에 조직 전체가 장기적으로 큰 손해를 입을 수 있다. 따라서 수많은 정보의 홍수 속에서 그 정보의 가치와 공유할 범위를 판단하는 부분에서 관리자의 능력은 극명하게 차별화된다.

관리자가 가져야 할 기본적인 자질

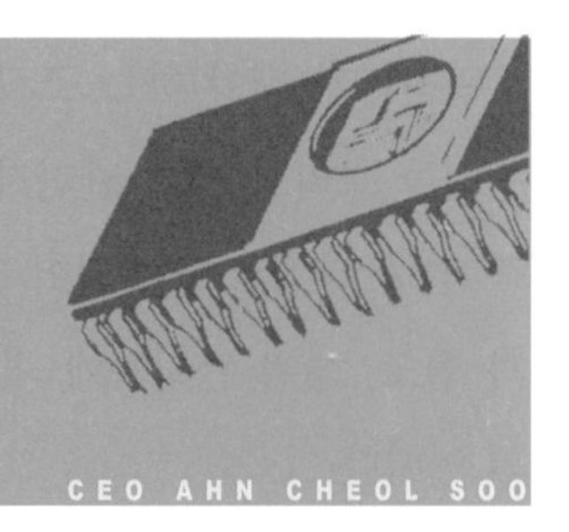

CEO AHN CHEOL SOO

그렇다면 이렇게 다양한 일들을 해야 하는 관리자들에게 요구되는 기본적인 자질은 무엇일까? 서로 생각과 경험이 다른 다양한 사람들을 모아서 하나의 일을 이루어가기 위해 필요한 품성과 능력을 모두 열거할 수는 없지만, 특히 강조하고 싶은 것으로는 전문 지식, 문제 해결 및 개선 능력, 업무 파악 능력, 전략적 사고, 커뮤니케이션 능력, 그리고 정서에 대한 포용력 이렇게 여섯 가지를 들고 싶다.

앞에서도 여러 번 강조했던 것처럼, 전문 지식과 문제 해결 및 개선 능력은 관리자가 제대로 업무를 하고 전문성을 발휘하기 위해 필수적으로 갖추어야 하는 요소이다. 실무자만큼 세부적인 내용은 아니어도 맡은 분야에 대한 전문 지식이 없으면 실무자의 의견과 판단에 전적으로 좌우될 수밖에 없는데, 실무자들은 해당 분야를 제외한 다른 분야에 대한 정보나 경험은 부족한 경우가 많기 때문에 조직 전체를 보지 못하고 지엽적인 판단으로 흐를 가능성이 있다. 따라서 전문 지식이 있어야만 우선 순위를 조정하고, 실무자들이 미처 보지 못하는 문제점을 발견하고 해결해 줄 수 있는 것이다.

업무 파악 능력은 전혀 다른 새로운 업무를 맡을 때만 필요한 것이 아니라, 같은 일을 계속 하더라도 새로운 변화에 대해서 끊임없이 파악하고 대비해야 한다는 관점에서 항상 요구되는 것이다.

업무를 파악할 때 주의할 점은 자신이 맡은 분야의 파악만으로 끝나는 것이 아니라 연관된 다른 분야에 대해서도 함께 파악해야 한다는 것이다. 그래야 넓은 시야를 가지고 전체 조직의 관점에서 판단할 수 있기 때문이다.

또한 업무 파악에는 업무 자체에 대한 지식뿐만 아니라 구성원 각자의 능력에 대한 파악도 반드시 필요하다. 이는 인사관리를 위해서 필요하기도 하지만, 실제 일을 하는 구성원들이 맡은 일을 잘할 수 있는지에 대한 판단 없이는 업무를 일정대로 진행하기가 힘들기 때문이다. 실무자뿐만 아니라 하위 관리자의 선임 및 변경도 이러한 능력에 대한 파악을 기초로 하여 이루어져야 한다.

전략적 사고는 급변하는 상황 변화를 염두에 두고 어떠한 선택을 하는 것이 최선인지를 생각하고 찾아가는 사고방식이다. 실무자 수준에서는 맡은 일에 대해 자기 중심적으로 계획을 세우고 일을 처리한다면, 관리자는 주위의 상황 변화에 따라 능동적으로 대응하면서 최적의 대안을 만들어나가는 사고방식을 가져야 한다는 의미이다.

커뮤니케이션 능력은 관리자의 역량을 구성원들에게 효과적으로 전달하는 수단임과 동시에 인사 관리 측면에서도 많은 차이를 만들어낼 수 있는 부분이다. 물론 가장 기본적인 것은 관리자의 인성과 실력이지만 커뮤니케이션 능력이 있어야 이를 제대로 전달할 수 있다. 커뮤니케이션 능력은 타고나는 부분도 있지만 노력과 훈련을 통해서 향상될 수 있다는 점에서 관심이 필요하다.

마지막으로 특히 우리나라 관리자들에게 필요한 면이 정서에 대한 이해와 포용력이다. 우리나라 사람들은 외국 사람들에 비해서 감성적인 측면이 강한 것 같다. 그러다보니 논리적으로는 이해가 되어도 감정적으로 받아들이기까지 시간이 걸리는 경우가 많다. 따라서 우리나라에서는 무조건 논리만으로 따지기보다는 정서적인 면까지 포용하고 참을성을 가지고 이해하려고 노력하는 '감성경영' 적 요소가 필요하다고 생각한다.

정서와 관련한 것으로 '칭찬은 공개적으로, 질책은 개인적으로' 라는 이야기가 있다. 좋은 성과를 낸 구성원에게는 공개적인 칭찬을 하여 다른 구성원들도 바람직한 방향으로 유도하고, 고칠 점이 있을 때는 따로 불러서 이야기하는 것이 좋다는 뜻이다.

여러 사람들이 연관되고 누구나 인정하는 큰 잘못이라면 공개적인 자리에서의 질책이 필요하겠지만, 그렇지 않은 경우에는 야단맞는 사람은 잘못했다는 생각보다는 망신을 당했다는 생각으로 반감을 가지게 되고 조직 전체의 사기도 저하될 수 있기 때문이다.

또한 능력이 있고 성과가 좋은 구성원을 공개적으로 칭찬하는 것은 좋지만, 표현 방법이나 상황에 따라서 자칫 구성원들에게 편애로 비추어질 경우에는 관리자의 행동이 조직을 분열시킬 수 있으므로 주의가 필요하다. 그리고 누구나 인정하는 보편타당한 성과에 대해서 칭찬을 하는 것은 문제가 없지만, 능력만을 가지고 칭찬하는 등의 공개적인 편애는 관리자에게는 절대 금기사항임을 명심해야 한다.

관리자의 '조직 장악력'이나 '조직 관리 능력'도 결국은 지금까지 설명한 여러 가지 요소들이 복합적으로 결합해서 나타나는 결과일 것이다.

실패하는 장수의 다섯 가지 유형

CEO AHN CHEOL SOO

『손자병법』은 한국 사람이면 누구나 잘 알고 있는 유명한 고전이다. 고전이기 때문에 급변하는 정보화 사회에서는 뭔가 어울리지 않는 느낌이 든다는 사람들도 많다. 혹자는 전쟁에서 승리하는 병법을 다룬 전략서만으로 생각하거나 또는 단순한 역사책으로 생각하는 경우도 있는 것 같다.

그러나 『손자병법』에는 시대를 초월하여 사회에서 사람들이 살아가면서 생각할 수 있는 모든 전략의 근본적인 원리가 담겨 있다. 다른 조직과의 전쟁 또는 경쟁은 물론이며 조직 내에서의 인사 관리, 조직 관리 등에 대한 기본적인 원칙까지도 담겨 있다.

미국에서 경영학을 공부할 때 와튼 스쿨의 전략 담당 교수는 미국인임에도 『손자병법』(미국에서는 『Art of War』라는 제목으로 번역되어 있다)만 보면 전략에 대해서는 다른 책을 볼 필요가 없을 정도이며, 본인도 지금까지 100번 이상 읽었는데 읽을 때마다 그 전에 깨닫지 못한 부분들을 새롭게 깨닫게 된다는 말을 한 적이 있다.

이 말은 『손자병법』이 가진 가치를 알려줌과 동시에, 어떤 책에 대한 이해도는 자신의 경험과 지식의 크기와 비례해서 커진다는 것을 보여주는 좋은 예이다.

『손자병법』에는 현대의 기업에도 적용할 수 있는 부분들이 많으며 이러한 해석을 해놓은 책들도 이미 많이 출간되어 있다. 『손자병법』의 내용 중에서 특히 관심을 끄는 것은 '실패하는 장수의 다섯 가지 유형' 이라는 부분이다. 현대를 살아가는 관리자들에게 큰 교훈이 될 수 있는 부분인데, 내용은 다음과 같다.

> "장수에는 다섯 가지 위험한 유형이 있다. 죽기를 각오하고 싸우는 장수라면 죽이기 쉽다. 자기만 살려고 애쓰는 장수는 포로로 잡으면 된다. 화를 잘 내는 장수는 모욕을 주면 된다. 청렴결백한 장수는 욕을 보이면 된다. 백성을 사랑하는 장수라면 백성을 괴롭히면 된다. 전쟁에서 이기려면 상대방 장수의 약점을 잘 살펴서 이를 역이용하면 된다."

이 내용을 현대적인 시각으로 재조명하면 장수는 관리자, 군대는 조직 또는 회사로 볼 수 있다. 그러면 '실패하는 장수의 다섯 가지 유형' 은 '관리자가 경계해야 할 다섯 가지 유형' 으로 재해석이 가능하다.

'죽기를 각오하고 싸우는 장수' 는 현대적인 의미로 해석하면 '전략적인 사고 없이 무조건 열심히만 하는 관리자' 로 볼 수 있다. 관리자는 열심히 한다는 이유만으로는 면죄부가 주어지지 않는다. 조직 전체로 우선 순위가 높은 일은 하지 않고 낮은 일만 열심히 하다가, 또는 중요한 일은 하지 않고 급한 일만 처리하다가, 또는 틀린 방법으로 열심히 엉뚱한 방향으로 가면서 조직에 큰 손해를 입힐 수 있다. 즉 전쟁에서 패배하는 실패한 장수가 되는 것이다. 이러한 경우

"나는 열심히 했는데 억울하다"라고 하면 그 사람은 관리자로서의 자격이 없는 것이다.

'자기만 살려고 애쓰는 장수'는 '조직의 이익보다 개인의 이익을 우선시하는 관리자'로 해석할 수 있겠다. 개인의 이익에는 횡령 등의 금전적인 것도 있지만 자리 보전에 대한 집착도 포함된다. 자신의 능력이 부족하여 조직에 해를 끼치고 있음에도 스스로 그 자리를 내놓지 않으려는 마음가짐이 결국 그 조직을 실패하게 만드는 것이다.

'화를 잘 내는 장수'는 '부하 직원에게 감정을 잘 드러내는 관리자'로 해석할 수 있다. 감정에는 화뿐만 아니라 우울, 스트레스 또는 다른 사람이나 다른 부서에 대한 감정적인 비난 등도 포함된다. 어떤 일이 잘못되었을 때 관리자가 스스로의 잘못을 인정하지 않고 일이 진행되지 못한 책임을 다른 팀이나 부서로 전가하는 방어적인 태도를 취하면 이것은 알게 모르게 팀원이나 부서원들에게 전달되고, 결국 이것이 다른 팀이나 부서에 대한 불만과 부서간의 이기주의를 만들면서 전체 조직을 분열시키게 된다. 한 조직의 장이 중요한 이유도 여기에 있다.

'청렴결백한 장수'는 '지나치게 자신만의 원리원칙에 집착하는 관리자', 또는 더 넓은 뜻으로 '고집 센 관리자'로 해석할 수 있다. 보편타당한 원리원칙이 아니라 자신만의 원리원칙을 고수하면 다른 팀이나 부서 혹은 고객과 타협할 줄 모르게 되고, 변화하는 환경에도 적응하지 못해 결국 실패할 수밖에 없는 것이다.

'백성을 사랑하는 장수'는 '마음 약한 인사 관리자'로 해석할 수 있다. 직원이 잘못하고 있는 일에 대해서는 정확하게 지적을 해주는 것이 그 직원이 성장할 수 있는 좋은 기회를 제공하는 것임에도, 마음 약한 관리자는 지적을 하지 않고 그냥 넘어가는 경우가 많다. 또한 사람을 적재적소에 배치하는 것이 전체 조직이 잘되기 위해 당연한 일인데도, 마음이 약해 적합하지 못한 사람의 업무를 바꾸어주지 못하고 하부 조직 관리자를 더 능력 있는 사람으로 바꾸지도 못한다. 결국 마음이 약해서 전체 조직을 그르치게 되는 것이다.

『손자병법』에는 상대방의 장수가 어떠한 유형인지 잘 살펴서 약점을 파고들면 그 장수를 죽이거나 무력화할 수 있으며, 그러면 전쟁에서 승리할 수 있다고 말하고 있다. 현대 사회에서도 마찬가지이다. 관리자의 실패는 관리자 혼자만의 실패로 그치는 것이 아니라, 관리자가 맡고 있는 전체 조직이 실패하는 것을 의미한다. 따라서 관리자들은 이러한 다섯 가지 함정의 유형을 잘 살펴서 이렇게 되지 않도록 스스로 치열하게 고민하고 열심히 노력해야 한다.

세상에서 이러한 다섯 가지 유형 중에 어느 한 가지에도 해당되지 않는 사람은 존재하지 않을 것이다. 뿐만 아니라 성격은 고치려 한다고 쉽게 고칠 수 있는 것이 아니다. 결국 중요한 것은 스스로 자신의 성격을 냉철하고 객관적으로 분석하여 자신의 업무를 성격 때문에 그르치는 일이 없도록 경계해야 한다는 점이다.

성공적인 관리자가 되는 길은 전쟁에서 승리하는 장수가 되는 것만큼이나 어려운 과정이다. 그러나 혼자서 할 수 없는 의미 있는 일을 여러 사람이 힘을 모아 함께 이루기 위해서는 훌륭한 관리자 없이는 불가능하다. 이 사실을 잊지 말고 사명감을 가지고 노력해야 할 것이다.

우리가 가진 세계 1위의 초고속 인터넷 보급률에 대해서는 자부심을 가질 만하지만, 하드웨어와 소프트웨어, 콘텐츠, 사용 행태 그리고 정보 보호 수준에 이르기까지 우리에게 부족한 부분들이 아직도 많다. 따라서 지금 우리는 샴페인을 터뜨리거나 자만할 때가 아니라, 아직도 모자라는 점이 많다는 사실을 인식해야 한다. 문제 의식을 가지고 우리의 가장 큰 장점인 저돌적인 추진력으로 앞으로 나가야 할 때이다.

진정한 IT 강국의 길

3

우리는 진정한
인터넷 강국인가?

CEO AHN CHEOL SOO

2002년 세계경제포럼(World Economic Forum), 일명 다보스 포럼에 참석했을 때의 일이다. 다보스 포럼은 일반에 널리 알려져 있듯이, 세계 각국의 영향력 있는 정치 지도자, 세계 경제를 주름잡는 유명한 경영자와 학자, 언론인 등이 한곳에 모여서 여러 가지 현안에 대해 심도 있는 논의를 하는 장이다.

여기서 논의된 내용들이 세계 경제의 방향을 잡는 큰 틀을 제시함은 물론이며, 시간과 공간상의 제약으로 서로 만나기 힘든 유력 인사들이 한꺼번에 한 장소에 모여서 개인적인 친분을 나누고 정보를 교류하기 때문에 그 영향력은 더 커지고 있다.

모임의 형식도 다양하여, 청중이 일방적으로 전문가들의 토론을 듣는 경우도 있지만, 식사를 하면서 테이블별로 주제를 논의하는 경우도 있었다.

내가 참여한 모임 중에는 IT 산업 불황에 관한 주제를 다루는 저녁 모임이 있었는데, 주제가 주제인 만큼 마이크로소프트 사의 고위 임원을 비롯하여 각국의 많은 오피니언 리더들이 참석했다. 테이블별 논의가 끝난 후에는 각 테이블마다 한 사람씩 앞에 나와서 발표를 하고 모두 같이 토의하는 순서로 진행되었다.

놀라웠던 점은 거의 절반에 가까운 테이블에서 우리나라에 대한 이야기가 나왔다는 점이다. 우리나라의 초고속 인터넷 보급률이 세계 1위이며, 2위와의 격차도 엄청나게 벌어져 있다는 것을 많은 사람이 이미 알고 있었으며, IT 불황을 타계하기 위한 한 방편으로 우리의 사례를 잘 연구하여 적용하자는 의견도 있었다.

이러한 이야기를 들으면서 나는 가슴 뿌듯함을 느꼈다. 세계 각국의 영향력 있는 사람들의 우리나라에 대한 인식이 이 정도일 줄은 몰랐고, 우리도 이제는 뭔가를 할 수 있는 위치에 왔다는 자부심도 들었기 때문이다.

그러나 흥분의 시기가 지나가자 다시 한번 냉정하게 생각해 보지 않을 수 없었다. 우리는 과연 진정한 인터넷 강국인가? 초고속 인터넷 보급률 이외에도 앞서 있는 것이 있는가? 나는 '그렇지 않다'는 결론을 내릴 수밖에 없었다.

먼저 우리나라의 초고속 인터넷 인프라를 구성하고 있는 장비들을 살펴보면 거의 대부분이 외국산이며, 국내 기술로 대체할 수 있는 것도 거의 없다. 속도가 빨라지고 용량이 커질수록 이러한 경향은 더욱 심하다. 장비뿐만이 아니다. 핵심이라고 할 수 있는 소프트웨어도 거의 대부분이 외국산이다. 심하게 표현하면 우리는 인터넷 망을 설치하여 운영하고 있을 뿐, 외국 회사들에게 돈을 벌어주는 거대한 시장 노릇을 하고 있는 것이다.

하드웨어와 소프트웨어 인프라 이외에 콘텐츠 분야도 경쟁력이 떨어진다. 나는 유학 시절에 미국의 콘텐츠 경쟁력을 실감한 적이 있었다. 이사를 마친 후 우연히 서점에 들렀는데, 서점 한 구석에 그 도시에 정착하는 방법에 대한 책이 빽빽이 들어차 있었다. 집을 구하는 방법에서 주요 관공서의 위치, 각종 물품을 싸게 사는 방법 등 처음 그 도시에 정착하는 사람에게 도움이 될 수 있는 각종 정보들이 책으로 정리되어 있는 것이다. 다른 도시에 가보아도 상황은 마찬가지였다. 또한 정착하는 방법뿐만 아니라, 상상할 수 없을 정도로 다양한 정보들이 정리되어 책으로 나와 있었다.

1990년대 중반부터 인터넷이 확산되면서 이렇게 풍부한 오프라인 콘텐츠들이 인터넷 콘텐츠로 변모하는 과정을 지켜보는 것은 내게는 놀라운 경험이었다. 인터넷 콘텐츠는 인터넷이 생긴 후에 만들어지는 것이 아니라, 그전부터 형성되어 있던 오프라인 콘텐츠가 커다란 경쟁력을 제공해 준다는 사실을 실감할 수 있었다. 기록 문화가 미흡하고 오프라인 콘텐츠가 부족한 우리의 실정이 걱정되지 않을 수 없다.

인터넷의 사용 행태에도 문제의 소지가 있다. 인터넷 사용 시간은 세계 최고의 수준이지만, 내용면에서는 새로운 부가가치를 생성하기보다는 소비적인 측면이 주류를 차지한다. 즉 채팅과 음란물, 동영상 교환 등 소비하고 즐기는 일이 인터넷 사용의 많은 부분을 차지하고 있다.

소비 문화가 무조건 나쁘다는 말을 하려는 것이 아니다. 창조적인 측면과 소비적인 측면이 같이 균형 있게 자리잡아야 하는데, 한쪽으로 지나치게 편중되어 있는 것이 문제라는 것이다.

정보 보호 문제를 살펴보면 문제는 더 심각해진다. 인터넷의 속도를 향상시키는 데만 집중적으로 투자하고 정보 보호에는 소홀한 결과, 우리나라 역시 바이러스와 해킹 때문에 막대한 손해를 입고 있음은 물론이며 국제 사회에서도 다른 나라에게 폐를 끼치는 문제 국가로 전락하고 말았다.

2002년 11월 전 세계 정보 보호 전문가들이 모인 가운데 서울에서 개최된 AVAR(Association of anti-Virus Asia Researchers) 국제 컨퍼런스는 바이러스를 비롯한 악성 프로그램으로 인한 피해가 단지 개인이나 기업, 한 나라의 문제에만 그치지 않고 국제 사회에서 국가의 신인도에 큰 영향을 미칠 수 있다는 점을 인식하게 해주는 계기가 되었다.

외국의 발표자들이 발표한 자료에서 공통적으로 눈에 띄는 부분은 우리나라가 와일드 리스트(wild list, 현재 활동 중인 바이러스 목록) 숫자에서 아시아 1위, 그리고 일단 바이러스에 감염된 다음에 다시 다른 나라를 공격하는 나라로는 세계 4위에 랭크되었다는 사실이다.

그해 프랑스에서 열린 인터넷 관련 워크숍(Internet Measurement Workshop 2002)에서도 발표된 한 연구 결과에 따르면 2001년 전 세계를 떠들썩하게 했던 코드레드 웜이 피해를 입힌 피해 국가 2위가 바로 우리나라였다. 반면에 복구 속도는 피해 상위 10개국 중에서 여덟 번째로 밀려나 있었다.

인터넷으로 연결된 글로벌 네트워크는 시간과 공간의 한계를 초월하여, 어느 한 지역이 바이러스에 감염되면 이 지역이 다시 다른 지역으로 바이러스를 확산시킬 수 있는 통로의 역할을 하게 된다. 정보 보호에 대한 관심과 투자가 소홀한 우리나라로서는 주요 해킹 경유 국가로 부상하게 된 것은 어찌 보면 너무나 당연한 일인지도 모른다.

결론적으로 우리가 가진 세계 1위의 초고속 인터넷 보급률에 대해서는 자부심을 가질 만하지만, 하드웨어와 소프트웨어, 콘텐츠, 사용 행태 그리고 정보 보호 수준에 이르기까지 우리에게 부족한 부분들이 아직도 많다. 따라서 지금 우리는 샴페인을 터뜨리거나 자만할 때가 아니라, 아직도 모자라는 점이 많다는 사실을 인식해야 한다. 문제 의식을 가지고 우리의 가장 큰 장점인 저돌적인 추진력으로 앞으로 나가야 할 때이다. 이렇게 전 국민적인 공감대를 가지고 열심히 노력한다면, 우리가 진정한 인터넷 강국이 될 수 있는 날도 멀지 않을 것이라고 믿는다.

벤처 산업의 3대 위기

CEO AHN CHEOL SOO

1999년 말부터 시작된 벤처 산업에 대한 관심은 투자와 수익의 관점에서 출발하기는 했지만, 국가 경제의 포트폴리오 차원에서 매우 바람직한 대안이 될 수 있다는 점에서 긍정적으로 평가할 수 있다.

대기업만으로 이루어지는 경제 구조는 대기업 스스로를 위해서도 바람직하지 않고, IMF 환란과 같은 외부의 충격에 대해서도 취약할 수밖에 없다. 전문 분야에 특화한 중소기업들은 대기업이 메워주지 못하는 작은 시장에서 소비자들의 욕구를 충족해 줄 수 있을 뿐만 아니라, 협력 관계를 통해서 대기업의 경쟁력을 더욱 강화해 줄 수 있다. 따라서 튼튼한 대기업과 함께 건전한 중소기업들이 두터운 층을 형성하여 상호 보완적으로 발전해 나가는 것이 우리 경제가 지향해야 할 방향이라고 생각한다.

특히 혁신형 중소기업이라고 할 수 있는 벤처기업은 새로운 기술과 새로운 시장에 대한 소규모의 실험을 하기에 매우 적절한 형태이며, 집중력과 빠른 실행 능력을 통해서 신속하게 시장에 진입할 수 있다는 점에서 큰 의미가 있다.

그러나 현재 우리나라의 벤처 산업은 세 가지의 커다란 위기에 봉착해 있다. 경영의 위기, 시장의 위기, 그리고 세계화(globalization)의 위기가 그것이다.

먼저 경영의 위기부터 살펴보자. 이는 경영의 필수 영역이라고 할 수 있는 인사 관리와 실적 관리, 위기 관리, 제도 정비, 비전 제시 등이 매우 취약한 결과로 나타난다. 경영진들이 경영에 대한 지식과 경험이 부족하고 조직 관리가 미숙하다보니 나타나는 현상이다.

시장의 위기는 벤처기업의 특성상 존재하지 않는 시장을 만들어내야 하는 경우에 또는 시장이 존재하더라도 구조적인 문제점을 가지고 있을 경우에 생겨난다.

벤처기업은 새로운 기술로 새로운 제품을 만들고, 이것으로 새로운 시장을 형성하면서 발전한다. 그러나 새로운 제품을 만드는 데까지는 성공하지만, 새로운 시장을 형성하는 데는 실패하는 경우가 많다. 새로운 시장을 만들기 위해서는 제품을 개발할 때와는 전혀 다른, 캐즘(chasm)을 뛰어넘을 수 있는 능력이 요구되기 때문이다. 여기서 많이 좌절하게 된다.

그러나 여러 가지 우여곡절 끝에 캐즘을 뛰어넘어 주류 시장에 진입한 후에는 또 다른 난관이 기다리고 있다. 우리나라의 시장 자체가 가지고 있는 구조적인 문제점에 드디어 직면하게 되는 것이다. 직접 일반 소비자를 상대하는 경우에는 그래도 나은 편이지만, 대기업이나 정부에 제품을 공급하는 경우에는 '납품 관행'의 틀에서 벗어나기가 보통 힘든 게 아니다.

특히 소프트웨어 시장의 경우에는 소비자 시장이 아예 없거나 대기업 SI(시스템 통합) 업체 위주의 유통 구조, 정부의 잘못된 소프트웨어 구매 관행이라는 왜곡된 시장 구조 속에서 벤처기업이 할 수 있는 일에는 한계가 있게 마련이다.

마지막으로 세계화의 위기는 세계화가 급속도로 진행됨에 따라서 창업한 지 얼마 되지 않은 작은 벤처기업이라 할지라도 같은 분야에서 세계에서 가장 큰 기업과 직접 경쟁해야 하는 상황에서 비롯된다.

제조업 분야는 이미 국내에서조차 중국과 치열한 생존 경쟁을 벌이고 있으며, 소프트웨어 분야는 예전에 가전제품이 누려왔던 관세 장벽이나 영화 산업에 적용되는 스크린 쿼터 제도 같은 것이 처음부터 존재하지 않았기 때문에 글로벌 경쟁력이 없으면 국내에서조차 살아남기 힘든 실정이다.

이러한 경영의 위기, 시장의 위기, 그리고 세계화의 위기가 세계적인 IT 불황과 맞물리면서 국내 벤처 산업을 총체적인 위기로 몰아가고 있다. 그러나 이러한 난관들이 결코 넘지 못할 벽은 아니다.

경영의 위기를 극복하기 위해서는 적합한 사람이 CEO가 되는 것이 가장 이상적일 것이다. 그러나 그렇지 못하고 능력이 부족하더라도 외부의 조언을 적극적으로 구하거나 또는 다수의 경영진이 하나의 팀으로 움직이면서 서로의 모자란 점들을 메워주는 방법 등을 통한 능동적인 문제 해결 노력이 필요하다.

캐즘을 뛰어넘기 위해서는 제품을 만든 후에 마케팅과 판매 전략을 수립하는 것이 아니라, 제품을 기획할 때부터 시장에 대한 고려와 심사숙고가 있어야 한다. 그리고 여러 가지 성공 사례는 물론 실패

사례들까지 미리 연구하고 전략을 수립한다면 성공 가능성을 조금이라도 더 높일 수 있다.

세계화의 위기는 반대로 해석하면, 국내에서 충분한 경쟁력을 확보하면 세계로 나아가기가 그만큼 쉬워진다는 것을 뜻한다. 세계적인 기술 경쟁력을 확보하는 것이 세계화의 위기를 극복함과 동시에 위기를 기회로 만들 수 있는 길이기도 하다.

그러나 다른 위기들은 벤처기업 스스로가 돌파구를 찾아야 하고 또한 찾을 수 있지만, 시장이 구조적인 문제점을 가지고 있는 경우는 어떻게 할 도리가 없다. 예를 들어서 대기업과 중소기업 간의 납품 관행이나 소프트웨어 시장의 구조적인 문제점 등은 하나의 벤처기업이 아무리 열심히 뛰더라도 극복할 수 있는 수준이 아니기 때문이다. 따라서 이 부분만은 정부에서 관심을 가지고 투명하고 공정한 시장을 만들기 위해서 정책적으로 노력할 필요가 있다고 생각한다.

정부 정책에 대해서 이야기를 하면 정부 관계자나 네티즌 중에서 오해를 하는 사람들이 간혹 있다. '도와달라'는 것으로 곡해하는 것이다. 지금까지 각계각층에서 정부에 건의하는 내용들은 대부분이 직접 또는 우회적으로 도와달라는 요청이다보니 그렇게 생각하는 것도 무리는 아닌 것 같다.

그러나 여기서 말하고 싶은 것은 도와달라는 것이 아니라 '투명하고 공정한 시장을 만들어달라'는 것이다. 건전하고 정상적인 시장만 육성된다면 국내 업체들뿐만 아니라 외국 업체들과도 어깨를 나란히 하고 당당하게 실력으로 경쟁할 수 있으며, 그 과정에서 진정한 경쟁력도 생기는 것이다. 이것은 국민들의 인권을 보장해달라는 것과 마찬가지의 당연한 요구일 수 있다.

따라서 정부에서는 더 늦기 전에 각 시장 영역에서 나타나는 문제점들을 파악하고, 이를 바로잡기 위한 제도를 정비하는 일에 역점을 두었으면 한다. 그리고 필요하다면 한시적인 인센티브나 처벌 조항을 도입하는 것도 검토했으면 한다.

제도적인 인프라를 만들고 시행하는 일은 수많은 이견 조정과 시간이 필요하고 효과도 늦게 나타나기 때문에, 드는 노력에 비해서 표가 잘 나지 않는다. 그렇지만 그대로 내버려두는 것은, 미래에는 큰 나무로 자랄 수 있는 싹을 불모지에 병든 채로 방치해 두는 셈이다. 병이 깊어진 다음에는 아무리 노력하더라도 다시는 살릴 수 없을지 모른다.

지금은 작을지 몰라도, 장기적으로 국가 미래에 중요한 역할을 담당할 부분에 대한 정책적인 우선 순위 조정이 필요한 때이다.

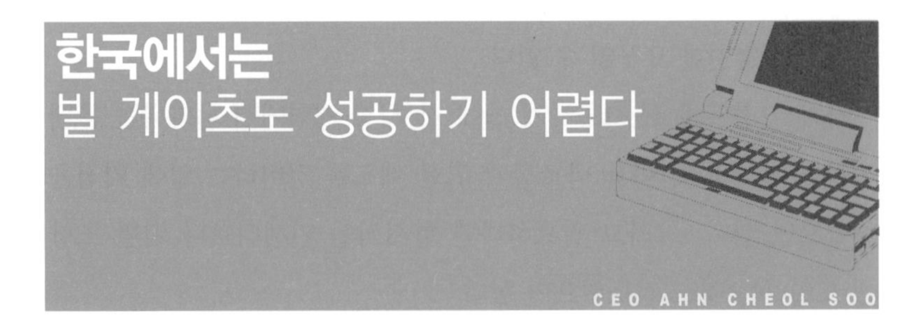

한국에서는 빌 게이츠도 성공하기 어렵다

우리나라의 지식정보 산업의 현황에 대해서 이야기하기에 앞서 지식정보 산업이 가지는 의미에 대해서 짚고 넘어갈 필요가 있다. 우리나라에서 지식정보 산업은 세 가지 점에서 중요한 의미가 있다.

첫째, 중국과의 경쟁에서 앞서가기 위해서는 지식정보 산업의 발전이 필수적이다.

중국은 제조업 분야에서 이미 우리나라를 앞서가고 있다. 일반 제조업뿐만 아니라 IT 제조업에서도 첨단 분야를 제외하고는 중국과 직접 경쟁하기가 점점 더 힘들어지고 있다. 따라서 이러한 상황을 타개하기 위해서는 기존의 제조업에 부가가치를 더할 수 있는 지식정보 산업의 발전이 필수적이다.

둘째, 지식정보 산업은 아주 작은 규모의 산업 육성으로도 수많은 일자리가 창출될 수 있어서 청년 실업의 좋은 대안이 될 수 있다.

예전에 정부의 한 인사로부터 지식정보 산업의 대표적인 분야인 소프트웨어 산업에 대한 평가를 들은 적이 있다. 국내 소프트웨어 산업 분야에 많은 인력이 종사하고 있지만 총 매출액은 미미한 수준이기 때문에, 인력의 효율성도 떨어지고 국가 경제에 공헌하는 정도도 매우 낮다는 것이다.

그러나 이를 반대로 해석할 수도 있다. 소프트웨어 산업은 원자재가 필요 없이 모든 것이 사람의 머릿속에서 나오는, 노동 집약적인 산업 특성을 가지고 있다. 따라서 공장들이 해외로 이전되고 있고 국내의 공장들도 자동화로 인하여 일자리가 계속 줄어들 수밖에 없는 작금의 상황에서는 이러한 소프트웨어 산업의 특성을 잘 이용한다면 아주 작은 규모의 산업 육성만으로도 수많은 새로운 일자리가 창출될 수 있다.

셋째, 국내 소프트웨어 산업은 자체의 규모에 비해서 수입 대체 효과가 매우 큰 특성이 있다.

소프트웨어 산업 중에서 국산 소프트웨어가 조금이라도 시장을 차지하고 있는 분야들은 대부분의 경우 낮은 시장 가격을 유지하고 있다. 이러한 경우에 만약 국산 소프트웨어가 존재하지 않았다면 훨씬 높은 비용을 외국에 지불해야만 했을 것이다. 따라서 국내 소프트웨어 산업은 자체 규모만으로 평가하기보다는, 수입 대체 효과도 함께 고려하여 국가 경제에 공헌하는 정도를 평가하는 것이 공정하다.

이렇게 중요한 의미를 가지고 있는 지식정보 산업이 성장하기 위해서 마련되어야 할 토양 또는 인프라에는 세 가지가 있다. 첫째가 지식정보의 가치에 대한 국민적인 인식, 둘째가 투명하고 공정한 시장 환경, 셋째가 잘못된 시장 환경을 바로잡기 위한 정책과 제도이다. 그러나 불행하게도 우리나라에서는 이 세 가지 분야 모두가 아주 취약한 실정이다.

우선 전 국민적으로 소프트웨어는 공짜라는 인식이 여전히 바뀌지 않고 있다. 가까운 일본만 해도 소프트웨어 시장의 규모는 미국에 이어 세계 2위이며, 그 시장의 2/3는 기업 및 관공서가, 나머지 1/3은 개인 사용자가 차지하고 있다. 그러나 우리나라는 기업과 관공서에서 예전에 비해 나아지기는 했지만 아직도 소프트웨어는 공짜라는 인식을 버리지 못하고 있으며, 개인 사용자 시장은 더 형편없는 수준이다.

무엇보다 걱정되는 것 중의 하나는 자라나는 학생들의 인식이다. 가정이나 학교에서조차 소프트웨어의 불법 복제가 방조되고 용인되는 환경이라면 우리나라 소프트웨어 산업의 미래는 아예 없다고 해도 과언이 아니다. 어릴 때부터 지식정보 산업의 가치에 대한 인식을 가지지 못하면 어른이 되어서도 이를 바꾸기 힘들며, 곧 지식정보 산업의 발전을 가로막는 가장 큰 걸림돌로 작용할 수 있다. 산업이 발전하지 못하면 일자리도 창출되지 못한다. 결국 이러한 환경 속에서 자라는 학생 스스로가 자신의 일자리를 없애는 불행한 결과를 초래하게 되는 셈이다.

다음으로 투명하고 공정한 시장 환경이 필요하다. 우리나라의 소프트웨어 산업 구조는 세 가지 특성을 가지고 있다. 먼저 대기업 SI 업체 중심의 소프트웨어 시장 구조, 경쟁력 없는 기업이 쉽게 퇴출되기 힘든 산업 구조, 그리고 전산 담당자들에 대한 평가 시스템의 문제 등이 그것이다.

첫째, 소프트웨어 기반 기술을 가지고 있는 중소 벤처기업들은 일반 소비자 시장이 거의 존재하지 않는 상황에서는 기업과 관공서를 대상으로 기업 활동을 할 수밖에 없는데, 대부분의 경우 대기업 SI 업체를 통해서 제품을 공급한다. 이런 구조하에서는 중소 벤처기업이 시장 장악력이나 가격 결정권을 가지기 힘들고, 성장의 한계에 부딪힐 수밖에 없다.

특히 공공 프로젝트를 대기업 SI 업체가 여러 가지 이유로 손실을 감수하고 저가 수주하는 경우에, 그 손실을 하청 업체들이 나누어서 분담하는 경우가 많은데, 규모가 큰 하드웨어 업체나 외국 소프트웨어 업체에 비해서 국내 소프트웨어 업체가 협상력이 떨어질 수밖에 없다. 그러다보니 우리나라 정부가 벌이는 공공 프로젝트에서 결과적으로 국내 업체가 외국 업체 사이에서 역차별을 받는 일도 생겨나고 있다.

둘째, 경쟁력 없는 기업이 쉽게 퇴출되기 힘든 산업 구조도 상황을 악화하는 데 큰 역할을 하고 있다. 우리나라는 기업이 잘 망하지 않는 나라라는 자조 섞인 이야기가 있다. 기업도 어려워지면 망하는 것이 정상이며, 어려워진 기업이 적절한 시기에 정리되는 것이 이해 관계자 모두에게 그리고 국가 전체적으로도 바람직한데 현실은 그렇지 않다.

국내 기업이 망하기 힘든 이유 중 하나가 바로 금융권에서 기업에 대출할 때 대표이사의 연대 보증을 요구하는 관행이다. 기업의 신용도를 평가하기 힘드니 대출 회수율을 높이기 위한 방편으로 이루어지고 있는 것인데, 그러다보니 기업이 망하면 기업의 빚이 전부 대표이사 개인의 빚이 되어버리고 만다. 기업을 정리할 적절한 시기를 가장 잘 판단할 수 있는 사람이 대표이사인데, 상황이 이렇게 되어버리니 수단 방법을 가리지 않고 기업을 계속 끌고 갈 수밖에 없다.

속된 표현이지만 '눈먼 돈'도 망할 기업의 수명을 연장하는 데 일조하고 있다. 여러 가지 공공 자금 덕분에 수명을 연장한 기업은 손해가 나는 사업이라도 당장 현금을 마련하기 위해 온갖 수단을 동원해 참여한다. 부실한 업체가 오히려 덤핑에 적극적인 기현상이 벌어지는 것이다. 이러한 상황에서는 건실하던 업체도 계속 가격 경쟁에서 밀려 계약을 따내지 못하게 되고 결국 부실한 업체로 전락하여 전체적인 하향 평준화로 이어진다. 공공 프로젝트의 가격이 아무리 낮더라도 손해가 안 나니까 참여하는 것이 아니겠느냐는 공공 기관의 이야기는, 이러한 상황에 대한 인식이 부족하기 때문에 나오는 것이 아닌가 생각한다.

그리고 한 번 실패한 사람을 영원한 실패자로 낙인을 찍는 사회적인 분위기도 실패한 기업가가 재기하기 힘들게 만드는 요인이다. 미국의 실리콘 밸리에서는 실패를 자산화함으로써 전체적인 성공 가능성을 높이고 있다. 즉 실패한 사람에게 도덕적인 문제가 없다면 다시 기회를 주고, 실패한 사람도 그 경험을 토대로 같은 실수를 반복하지 않음으로써 선순환의 고리를 이루어가고 있다. 그러나 우리와 같이 실패한 사람을 전염병자 보듯이 회피하는 사회 분위기에서는 어려운 사업을 접기보다는 가능한 한 버티어보자는 마음이 생겨날 수밖에 없다.

결국 이러한 여러 가지 요인 때문에 우리나라에서는 경쟁력 없는 기업이 쉽게 퇴출되지 못하는 이상한 산업 구조가 형성되어 있는 것이다.

시장 환경 측면에서의 셋째 문제점은 전산 담당자들에 대한 평가 및 감사 시스템 문제이다. 특히 공공 기관에서는 전산 담당자들이 좋은 솔루션을 도입해서 얼마나 생산성을 향상하고 문제를 해결했는가보다는 예산 절감 실적이 더 중요한 비중을 차지하는 것으로 알고 있다. 이러한 시스템에서는 국내 지식정보 산업을 육성하고자 하는 당찬 의지가 있는 사람이라 할지라도 좋은 평가를 받기는커녕 감사에서 지적당할 가능성만 높아질 것이다.

소프트웨어 가치에 대한 인식이 부족한 데다 예산 절감을 더 중요하게 생각하고 지식정보 산업을 보호하고 육성하는 데 대한 아무런 인센티브가 없으니, 소프트웨어를 따로 발주하기보다는 SI 프로젝트에 포함해서 공을 SI 업체로 넘겨버리기 일쑤다. SI 업체들은 업체들대로 정부의 적절하지 못한 평가 기준과 덤핑을 강요하는 관행 때문에 저가 출혈 경쟁을 할 수밖에 없으며, 결국 그 손실은 중소 소프트웨어 업체로 전가되는 것이다.

결과적으로 국가 시책은 지식정보 산업의 육성이며 지식정보 강국을 주창하고 있지만, 공공 기관의 일선 현장에서는 오히려 지식정보 산업을 축소하는 데 앞장서는 일이 벌어지는 것이다.

이러한 여러 가지 잘못된 시장 환경을 바로잡기 위해서는 적절한 정책과 제도가 필수적이다. 그러나 이 부분에 대한 노력도 매우 미흡한 수준이며, 다른 국가적인 중대 사안들에 비해서 정책의 우선 순위도 현저히 낮다.

결론적으로 지식정보의 가치에 대한 국민적인 인식도 미흡하고, 대기업 SI 업체는 그룹 내 사업으로 손실을 보전하며, 중소기업은

'눈먼 돈'으로 명맥을 유지하고, 공공 기관에서는 저가 수주를 요구하는 이러한 환경하에서는 빌 게이츠가 우리나라에 와서 사업을 하더라도 성공하기 힘들다. 아마 모든 IT 종사자들이 공감하는 내용이 아닐까 한다. 지식정보 산업 종사자나 IT 종사자뿐 아니라 우리나라 전체의 불행인 것이다.

여기서 굳이 빌 게이츠를 예로 든 것은, 사회적인 인프라가 형성되지 않은 상황에서는 아무리 천재라고 할지라도 한 사람이 할 수 있는 일에는 한계가 있다는 것을 강조하기 위해서다. 인류 역사를 보아도 잘 알 수 있듯이, 걸출한 영웅이라 해도 사회적인 지지 기반 없이는 역사를 바꿀 수 없는 법이다. 마찬가지로 소프트웨어 산업에 대한 인프라가 너무나 낙후되어 있는 작금의 상황에서는 어떤 천재가 나서더라도 한계에 부딪힐 수밖에 없다.

따라서 지금부터라도 지식정보 산업의 세 가지 인프라에 대한 개선 노력이 이루어져야만이 악순환의 고리를 끊을 수 있고 지식정보 산업의 강국으로 우뚝 설 수 있다. 정부도 지금은 지식정보 산업에 대한 지원이나 육성책을 논할 때가 아니라, 잘못되거나 비정상적인 환경을 정상적인 상태로 고치는 일이 더 절실한 시점이라는 인식을 같이해야 할 때이다. 즉 산업계의 요청은 도와달라는 것이 아니라 '제대로 된 인프라를 만들어달라'는 것임을 이해해 주었으면 한다.

무엇보다도 가장 시급한 일은 정부가 잘못된 시장 환경을 바로잡기 위한 적절한 정책과 제도를 만드는 일이다. 소프트웨어 분야에서조차 무섭게 따라오고 있는 중국에게 이 분야마저 뒤처져버린다면, 우리에게 다시는 기회가 오지 않을 것이기 때문이다.

프로그래머의 길

CEO AHN CHEOL SOO

내가 프로그래밍을 처음 시작한 지 벌써 20년 가까이 된다. 처음 개발을 시작할 당시에는 지금처럼 많은 사람이 컴퓨터를 쓰게 될 것이라고는 상상조차 못했다. 8비트 컴퓨터인 애플 컴퓨터를 사용하던 시절이었으니 가정에서 취미로 가지고 노는 정도였지 업무용으로 사용한다는 생각은 꿈에도 하지 못할 상황이었다. 지금은 컴퓨터뿐만 아니라 인터넷이 보편화하면서 가정마다 없어서는 안 될 필수품으로 자리잡게 된 것을 보면 격세지감마저 느낀다.

개발 문화도 많이 달라졌다. 당시에는 소프트웨어 개발자가 먹고 살 수 있는 직업이 아니었다. 초기에는 개발 자체에 재미를 느끼는 마니아들이 주축을 이루었지만, 생계를 위해서 다른 직업을 가지고 있는 경우가 많았다. 지금은 개발자도 어엿한 직업으로 자리잡았지만, 열정 측면에서 보면 지금의 개발자들이 배워야 할 점이 많지 않을까 생각한다. 즉 요즘 같은 환경에서도 옛날 마니아 시절의 사람들만큼 열정을 가진 사람들만이 성공할 수 있다는 점을 명심해야 한다.

초창기의 국내 개발자들은 많은 어려움을 겪어야 했다. 나도 자료를 구하는 데 무척 애를 먹었다. 당시 국내에는 IT 서적들이 별로 없었고 원서를 구하기도 만만치 않았다. 인터넷도 없었고, 주위에 물어 볼 사람이 있는 것도 아니었다. 혼자서 모든 것을 분석하고, 풀리지 않는 문제들을 스스로 해결해야 하는 상황이었다.

1980년대 후반부터는 컴퓨터 통신을 활용하여 컴퓨서브(CompuServe)와 같은 미국 통신망에 접속할 수 있었다. 아무리 연구를 해도 도저히 풀리지 않는 경우에만 모뎀을 통해서 국제 전화로 접속한 뒤 미국 사람들에게 이것저것 물어보고 자료도 받곤 했다. 그때 전화 요금이 1분에 1천 원, 즉 1시간에 6만 원 정도였는데, 당시 내 월급이 30만 원 정도였으니 엄청나게 비싼 금액이었다.

그 밖에는 모두 직접 분석하고, 컴퓨터의 하드웨어에 붙박이로 장착되어 있는 롬바이오스(ROM-BIOS)나 운영체제도 어셈블리어 수준에서 분석할 수밖에 없었다. 컴퓨터 바이러스 분석도 마찬가지로 참고 자료 없이 직접 분석해서 동작 원리를 알아냈다. 그러다보니 처음 컴퓨터 바이러스 관련 서적을 집필할 때는 그동안 공부한 것과 경험을 토대로 해서 참고 서적 한 권도 없이 직접 만든 자료와 기억만을 가지고 완성할 수 있을 정도였다.

그에 비하면 요즘은 오히려 자료의 홍수 시대라고 할 만하다. 이제는 자료를 구하지 못해서 개발을 하지 못하는 경우는 거의 없으니 그런 점에선 지금의 개발 환경이 엄청나게 좋아진 것이다.

그러나 예전보다 나아지기는 했지만, 개발자로서 성장하는 데 불리한 환경은 여전히 남아 있다. 그것은 국내 개발 환경의 특성과 한계 때문인데, 첫째는 개발자 스스로 코더의 성향에 머무르고 마는 마인드의 문제와, 둘째는 나이가 들어서는 전문가로 남을 수 없게 만드는 사회 통념 및 회사 제도, 셋째는 국내 패키지 소프트웨어 산업의 부진을 들 수 있겠다.

첫째로 개발자들은 일반적으로 프로그래밍, 더 정확하게는 코딩(coding) 자체에 많은 재미와 보람을 느끼는 경향이 있다. 풀리지 않는 수학 문제를 오랜 고생 끝에 풀었을 때 희열감에 사로잡히고, 자신이 만든 프로그램이 잘 작동하는 것을 보면서 자신의 분신처럼 애정을 느낀다.

그러나 이러한 일은 개발자의 보람 가운데 아주 작은 부분일 뿐이다. 미국에서는 이런 수준의 사람들을 코더(coder)라고 부른다. 그리고 많은 프로그래밍 경험을 통해서 좀더 수준이 올라가면 세부적인 코딩 자체보다는 전체적인 아키텍처(architecture), 프로토콜(protocol) 등 설계에 해당하는 일들을 맡게 된다. 오랜 기간 이러한 일을 하면서 연륜이 쌓이면 비로소 아키텍트(architect)가 된다.

그런데 우리나라는 소프트웨어 산업의 역사가 짧아서이겠지만, 코딩하는 재미에 묻혀 있거나 거기까지가 개발자가 할 수 있는 유일한 일이라고 생각하는 사람들이 의외로 많다. 물론 훌륭한 프로그래머 또는 아키텍트가 되기 위해서는 코더 시절에 탄탄한 기초를 다지는 것 역시 필수지만, 어느 정도 실력이 쌓인 후에는 코더 단계를 뛰어넘으려는 노력이 필요하다.

둘째로 우리나라에서는 전문가라고 할지라도 나이가 들면 관리직이 되어야 성공했다고 인정하는 사회 통념이나 회사 제도 때문에 외국에 비해서 개발자가 선택할 수 있는 미래가 제한적이며 그 생명도 짧은 편이다. 또한 최근 이공계 기피 현상이 심각한 사회 문제로 떠오르면서, 개발자의 위치 역시 다소 위축된 것처럼 보인다.

개발자 스스로는 관리자로 변신하는 것을 두려워해 능력이 닿는 한 개발자로 남고 싶어하지만, 반면에 하루가 다르게 기술적 진보가 이루어지는 상황에서 후배와 동등한 위치에서 새로운 개념과 기술에 적응해야 하는 부담도 많이 느낀다.

개발자들이 코더 단계에서만 머문 채 그 한계를 벗어나지 못하는 셋째 이유는 국내 패키지 소프트웨어 회사 수가 너무 적고 그 규모도 영세하기 때문이다.

개발자가 선택할 수 있는 미래라는 면에서 SI 업체와 패키지 소프트웨어 업체는 상황이 조금 다르다. 패키지 소프트웨어 업체에서 개발자가 선택할 수 있는 길이 상대적으로 조금 더 다양한 편이며, 특히 세계적인 회사들과 경쟁하는 패키지 소프트웨어를 개발하기 위해서는 전문적인 아키텍트가 절실히 필요한 실정이다.

이럴 때 일정 규모 이상의 패키지 소프트웨어 회사가 많이 있다면 각 회사마다 다양한 노하우가 쌓이고 회사간의 제휴나 인력 이동을 통해서 자연스럽게 함께 성장해 나갈 수 있겠지만, 숫자가 얼마 안 되고 영세하다보니 같이 커나갈 수 있는 여건이 형성되지 못하고 있다.

사정이 이러하니 개발자가 나아갈 길을 적절하게 조언해 줄 수 있는 전문가 그리고 시스템이 갖추어진 회사들이 많지 않은 것이다. 이는 우리나라 개발자들의 불행이자, 우리나라 전체의 불행이기도 하다.

이미 몇 차례 강조했던 것처럼, 우리나라가 글로벌 시장에서 앞서 나가려면 지식정보 산업에서의 경쟁력이 필수적이다. 따라서 우리나라의 미래를 위해서라도 앞서 이야기한 문제점들을 극복하기 위해 다양한 이해 관계자들의 노력이 요구된다.

개발자 자신의 마인드 문제에 대해서는 당연히 당사자의 노력이 요구되며, 소프트웨어 회사 역시 나이가 들어서도 개발자가 계속 남아서 발전할 수 있도록 제도적인 보완책을 마련해야 한다. 또한 국가 차원에서도 소프트웨어 산업 육성과 전문 인력 양성을 위해서 노력을 기울여야 할 것이다.

단, 국가 차원에서 전문 인력 또는 아키텍트를 키우기 위해서는 '개발자들이 성장하기 위해서는 두 가지 단계를 거쳐야 한다'는 사실을 먼저 이해할 필요가 있다.

처음 단계는 개발자들이 공부를 통해서 성장하는 단계이다. 이 단계에서는 대학이나 학원과 같은 교육 기관에서 교육을 받거나, 소질이 있는 사람은 스스로 독학해서 성장할 수 있다. 그렇지만 공부만으로는 아무리 천재라 할지라도 어느 정도 이상의 수준을 넘을 수는 없다.

다음 단계로 성장하기 위해서는 큰 규모의 프로젝트를 팀을 이루어서 진행해 보는 경험이 필요하다. 특히 SI 프로젝트보다는 패키지 소프트웨어 개발 프로젝트를 해보는 것이 한 단계 높은 수준으로 제대로 올라갈 수 있다.

SI 프로젝트가 특정한 고객의 요구를 특정한 시스템에 구현하는 데 비하여, 패키지 소프트웨어는 불특정 다수 고객의 요구 사항을 수렴하고 이를 다양한 컴퓨터 환경에서 문제없이 동작하게 해야 하는 데다가 세계적인 기업들과 동시에 경쟁해야 하기 때문에 프로젝트의 난이도 측면에서도 차원이 다르다. 실무 경험 없이 이론만으로는 절대로 아키텍트가 될 수 없는 법이다.

따라서 정부와 학계에서도 이 점에 대한 이해를 공유하고 인력 양성 계획을 수립해야 한다. 정부에서는 장기적이고 근본적인 마인드를 가지고 단기간의 처방보다는 이 사회가 요구하는 진정한 전문가를 키우고 국가 경쟁력을 강화하기 위한 제도적인 접근을 해야 한다. 학계에서도 업계의 협조와 피드백을 받아서 현대 사회에 맞는 인재를 양성하기 위해 많은 노력을 기울여야 한다.

전문가형 개발자 육성을 위해서는 교육 제도의 개선 노력이 반드시 필요한데, 특히 대학에서 가르치는 것과 현장에서 요구하는 것의 간격을 메우기 위한 노력이 가장 우선적으로 필요하다.

이 과정에서 인도가 좋은 벤치마크 모델이 될 수 있을 것이다. 인도 역시 불과 10여 년 전만 하더라도, 지금처럼 많은 우수한 개발자를 배출하는 소프트웨어 강국이 될 것이라고는 아무도 생각하지 못했다. 그러나 지금은 미국 마이크로소프트 사에서 인도인 개발자들이 나가버리면 회사가 쓰러질 정도라는 이야기가 나올 만큼 인도인의 비중이 높다.

제도적인 측면에서, 특히 교육 제도적인 측면에서 올바르게 접근했기 때문에 가능한 결과라고 생각한다. 우리나라도 인도를 벤치마킹해서 우리 실정에 맞는 제도를 도입하고 시행한다면 경쟁력 있는 개발자들을 많이 배출할 수 있지 않을까 한다.

또한 전문 인력 양성과 함께 산업을 육성하는 일도 동시에 진행해야 한다. 교육 따로 산업 따로 접근하는 것은 개발자의 두 단계 성장 과정에 비추어보더라도 맞지 않는다. 일자리도 없고 먹고 살기도 힘든데 양질의 인력이 나올 리가 만무하기 때문이다.

프로그래머가 가져야 할 세 가지 자질

CEO AHN CHEOL SOO

IT 산업이 발전함에 따라 개발자의 역할에도 변화가 생기기 시작했는데, 주위에서 먼저 그 변화를 요구하기도 한다. 특히 전문성에 대한 요구 수준은 갈수록 높아지고 있다. 전문 개발자가 장기간 계속 발전하기 위해서는 주위 여건도 중요하지만 개발자 자신의 부단한 노력이 필요하다.

그런 점에서 개발자들이 갖추어야 할 자질을 세 가지로 정리해 보았다.

첫째는 너무나 당연한 것이지만 전문가로서의 지식, 특히 실제 프로젝트에 적용할 수 있는 지식과 경험이다.

대학에서 전산학과를 전공한 사람들 중 바로 소프트웨어 개발에 투입할 수 있는 사람은 많지 않은 편이다. 업무에 필요한 지식보다는 학문에 필요한 기초 지식만 가지고 있다보니 이들간의 간격이 상당히 크기 때문이다. 대기업은 공채를 통해서 많은 사람을 한꺼번에 뽑아 자체적으로 교육할 수 있지만, 현재 패키지 소프트웨어 업체들은 벤처기업이기 때문에 필요한 교육을 다시 할 수 있는 여건이 아니다. 그러다보니 학교를 다니면서 스스로의 열정이나 재미로 개발을 했거나 프로젝트를 했던 사람들이 주로 채용 대상이 될 수밖에 없다.

둘째는 커뮤니케이션 능력이다. 지금처럼 복잡한 현대 사회에서는 아무리 뛰어난 사람이라 할지라도 혼자서는 어떤 일도 할 수 없다. 개발을 할 때도 여러 개발자들간의 공동 작업이 필요하다. 또한 개발자만 작업해서 되는 것이 아니라 마케팅과 영업, 고객 지원, 기술 지원을 비롯하여, 고객과도 직접 의사 소통을 하면서 일을 해나가야 하는 세상이다.

그렇지만 대학을 졸업하고 바로 입사한 사람들 가운데 의외로 자신의 생각을 정확하게 말로 표현하지 못하고, 다른 사람의 말도 그 의미를 제대로 이해하지 못하는 경우가 많다. 다행히 본인이 깨닫고 있는 경우도 있지만, 스스로 그 사실을 모르는 경우도 많은 것 같다.

그 이유는 우리나라의 교육 과정이 개인 경쟁력 강화 위주의 공부, 즉 대부분 혼자서 책을 보며 공부를 하고, 혼자서 시험 문제를 푸는 교육을 받아왔다는 데 있다.

그러나 커뮤니케이션 능력이 모자라는 것이 불치의 병은 아니다. 내 경험상, 스스로 그 사실을 인식하고 노력한다면 충분히 향상될 수 있기 때문이다.

셋째는 팀을 이루어서 다른 사람과 같이 일을 잘해나갈 수 있는 성품과 능력이다. 팀워크에서 가장 중요하고도 기본적인 것은 구성원들의 마음가짐이다. 각자의 지식과 경험의 폭이 천차만별인 가운데 같이 일을 하다보면, 이해를 못하거나 손해 보는 느낌이 생길 수 있다. 그러나 열린 마음으로 자기가 이해하지 못하는 부분이 있을 수 있다고 생각하고, 다른 사람이 미처 못하고 있는 일은 내 일이 아니더라도 팀 전체의 일이기 때문에 도와준다는 마음가짐이 중요하다.

팀 내에서 아무리 업무 분장을 잘하더라도 나의 일과 상대방의 일의 구분에 대해서는 서로 미세한 인식의 차이가 있을 수 있다. 내가 그어놓은 금과 상대방이 그어놓은 금이 반드시 일치하지는 않는다. 특히 새로운 상황에 부딪히면 더욱 그렇다.

이럴 때 조금이라도 손해보지 않으려고 악착같이 자신이 그은 금을 지키는 사람은 단기적으로는 일을 조금 덜 할지 몰라도 팀 전체의 속도는 떨어지게 마련이며 동료들도 하나 둘씩 곁을 떠날 것이다. 반대로 폭을 넉넉하게 가지고 같이 일을 해나가는 사람은 단기적으로는 손해를 볼지 몰라도 팀 전체의 성과에 크게 기여하는 사람으로 인정받을 수 있고 장기적으로 주위에 많은 사람이 모일 것이다.

또한 필요하지만 낯선 다른 분야에 대해서도 기초 서적을 틈틈이 읽으면서 사고의 폭을 넓히고, 그 분야 사람들의 이야기를 많이 듣고 노력한다면 진정한 전문가로 클 수 있는 좋은 발판을 마련하는 것이다.

이러한 세 가지 기본적인 요소 이외에 개발자에게 꼭 필요한 마음가짐이 있다. '창조적 마인드' 와 '장인 정신' 이 그것이다.

창조적 마인드는 이 세상에 없는 새로운 것을 만들어내는 사람들에게는 꼭 필요한 것이다. 특히 소프트웨어의 한계는 인간 상상력의 한계와 같은 것이기에 더욱 그렇다. 그리고 창조적 마인드는 새로운 것을 만들 때뿐만 아니라, 기존의 것에 대해서도 다시 한번 생각해 보고 더 좋은 방법은 없을까 끊임없이 고민하는 가운데서 빛을 발한다.

그렇지만 프로그래밍에서 프로그램의 모든 부분을 창조력을 발휘하여 직접 만들어야 하는 것은 아니다. 오히려 효율성면에서 본다면 개발자는 핵심 부분에 집중하고 다른 부분은 이미 만들어져 있는 코드가 있다면 그것을 사용하는 것이 더 좋은 방법이다.

특히 인터넷을 통해 수많은 정보를 쉽게 찾을 수 있고, 프로그래밍에 필요한 웬만한 루틴들은 소스 프로그램(source program)째로 구할 수 있게 되었다.

그렇지만 완전한 블랙박스 형태의 라이브러리(library)를 쓰는 것이 아니라 소스 프로그램을 직접 가져다 사용하는 것이라면 몇 가지 주의가 필요하다.

가장 기본적인 사항이 남의 것을 쓰더라도 코드를 완전히 이해하고 자기 것으로 소화한 다음에 써야 한다는 것이다. 급한 마음에 그냥 가져다 쓰다가 나중에 버그(bug)나 루틴끼리의 충돌로 더 큰 낭패를 볼 수도 있기 때문이다. 또한 자신의 것으로 완전히 소화한 다음에는 창조력을 발휘하여 부분적인 개선을 통해서 성능 향상을 꾀할 수도 있다.

그리고 공개된 소스 프로그램에 따라서 저작권 문제도 꼼꼼하게 챙겨보아야 한다. 인터넷에 공개된 소스 프로그램의 경우 저작권 문제가 없을 수도 있지만, 자칫 저작자가 허용하는 범위를 벗어나서 사용할 경우에는 복잡한 저작권 분쟁에 휩싸일 수도 있기 때문이다.

이러한 사항들은 기본적인 것이지만 시간에 쫓기다보면 자칫 놓칠 수도 있는 중요한 부분이기 때문에 개발자 스스로 철저한 주의를 해야 한다.

그리고 장인 정신은 자신감과 적극적인 자세 그리고 진정한 실력이 합쳐져야 생겨난다. 나는 우리나라 개발자들이 한마디로 '혼이 있는 개발자'가 되었으면 한다. 누구나 개발자는 될 수 있다. 그러나 누구나 할 수 있는 것이 아니라 오직 나만이 할 수 있다는 자신감과, 주어진 일이고 직업이기에 한다는 자세보다는 능동적이고 적극적으로 임하는 '장이' 기질이 있어야 한다. 도자기는 누구나 만들 수 있지만, 백자나 청자는 아무나 만드는 것이 아니기 때문이다.

작은 프로젝트를 진행할 때는 담당 프로그램의 개발자가 테스트도 병행하지만, 규모가 커지면 개발자와 QA(quality assurance) 담당자가 따로 있게 된다. 이때 개발자 중에는 이제 자신은 코딩만 하면 되고 버그를 잡는 것은 QA 담당자의 몫이라고 생각하는 사람이 있다. 그리고 '결함 없는 소프트웨어는 없다'는 생각으로 어처구니없는 버그가 발견되더라도 아무런 부담을 가지지 않는 경우도 있다.

그러나 이러한 일은 장인 정신을 가진 개발자라면 있을 수 없는 일이다. 제품의 품질은 만든 사람의 실력과 마음가짐에 따라 달라지기 때문이다. 실력과 마음가짐이 부족한 상태에서는 아무리 많은 시간이 주어지더라도 품질은 좋아지지 않는 법이다. 따라서 최선을 다하고 결함이 없다고 판단되는 상황에서만 QA에게 넘겨주어야 한다. 자기가 미처 발견하지도 못했던 결함을 QA에서 발견했다면 부끄럽게 생각하는 것이 참된 마음가짐이라 할 수 있다.

이제 전산 분야는 사회 전반에서 사용되는 툴이자 인프라로 자리잡게 되었다. 이러한 분위기에서는 전공은 아니더라도, 지식 경영적인 측면에서 전산을 활용할 줄 아는 사람이 두각을 나타낼 것이다. 따라서 앞으로 전산 전공자들은 다른 분야에서 전산을 활용하고자 하는 사람들에게 부가가치를 제공해 줄 수 있는 사람이 되지 않는다면 생존하기가 힘들어질 것이다.

이러한 관점에서 미래가 요구하는 개발자의 요건도 달라지고 있다. 다른 사람 또는 다른 부서와 열린 마음으로 같이 일을 할 수 있는 사람, 전산뿐만 아니라 다른 분야에 대해서도 깊이 있는 전문 지식을 가지고 다른 사람이 만들어내지 못하는 새로운 것을 만들어내는 사람, 넓은 시야와 창조적인 마인드를 가진 사람만이 성공할 수 있을 것이다. 그리고 이러한 개발자들이 미래에는 사회의 가장 중요한 인프라를 담당하는 핵심 인재로 자리잡게 될 것이다.

정보 보호는 이제 일상적인 이슈이다

CEO AHN CHEOL SOO

사람들은 무엇이든 잃고 난 후에야 그 소중함을 새삼 깨닫고 미리 대비하지 않은 것을 후회하게 된다. 잃어버렸을 때 가장 큰 문제가 되는 것도 시대에 따라 많이 달랐을 것이다. 고대 사회에서는 식량이었을 것이고 산업 사회에서는 기계였을 텐데, 그렇다면 지식정보 사회인 현대에서는 무엇일까. 바로 정보이다. 구체적으로 컴퓨터에 저장된 파일이라고 할 수 있다.

삼풍백화점과 성수대교 붕괴 사고는 설비 투자에만 신경을 쓰고 유지 보수를 소홀히 한 데 원인이 있었다. 만들어놓고 사용하기만 했지, 만약의 사태에 대비한 정기적인 점검을 꼼꼼하게 하지 않았던 것이다. 결국은 유지 보수 비용의 몇십 배, 몇백 배의 손실을 감수해야 했다.

IT 분야에서도 마찬가지의 일들이 일어났다. 1999년에 발생한 'CIH 바이러스 대란'과 2003년에 발생한 '1·25 인터넷 대란'이 그것이다. CIH 바이러스 대란 때는 우리나라가 세계 최고의 피해 국가가 되었고, 1·25 인터넷 대란 때는 국가 전체의 인터넷 망이 마비되는 세계 유일의 나라가 되었다. 컴퓨터를 구입하고 인터넷을 연결하여 사용하는 데만 신경을 쓰고, 컴퓨터 바이러스에 대한 기본적인 대비책이나 정보 보호를 소홀히 하다보니 국가적으로 엄청난 피해를 입은 것이다.

우리나라가 IT 분야뿐만 아니라 거의 전 분야에 걸쳐서 위험 관리가 취약한 이유는 우리 모두의 안전 불감증에서 찾을 수 있다. '설마 나에게 큰 일이야 일어나겠느냐' 는 안이하고도 근거 없는 낙관적인 생각이 큰 화를 부르는 것이다. 또한 지난 몇십 년 동안 급속하게 진행된 경제발전 과정에서 선진국들을 따라잡아야 한다는 강박 관념에 쫓겨 뒤를 돌아볼 여유도 없이 계속 달려온 것도 이러한 사고방식을 굳히는 데 일조했다. '발전을 위해서 어느 정도의 위험은 감수한다' 는 식이다.

규모가 작았을 때는 이러한 사고방식이 발전을 앞당기는 데 도움이 되었을지 모른다. 그러나 이제는 위험을 감수하면서 앞으로 나아가기에는 우리의 산업 규모가 너무나 커져버렸다. 한번 사고가 나면 피해 규모가 감당하기 힘들 정도가 된 것이다.

따라서 지금보다 더 앞으로 나아가기 위해서는 우리의 마인드를 바꿀 때가 되지 않았나 생각한다. 위험 감수(risk taking)의 마인드에서 위험 관리(risk management)의 마인드로 말이다. 이러한 마인드의 전환이 없는 한, 앞으로도 대구 지하철 참사와 같은 더 큰 규모의 사고가 재발할 가능성은 매우 높을 수밖에 없다.

IT 분야의 정보 보호도 같은 맥락으로 생각할 수 있다. 이제 개인용 컴퓨터는 귀중한 개인 정보와 업무 자료를 보관할 뿐만 아니라,

인터넷 뱅킹과 전자 상거래, 커뮤니티 활동 등 정보화 사회를 이루는 중요한 기반이 되었다. 또한 인터넷은 없으면 조금 불편한 정도가 아니라 전화만큼, 어쩌면 전화보다도 더 중요한 국가 기간망으로 자리잡게 되었다. 이러한 상황에서 개인용 컴퓨터의 정보가 외부로 유출되거나 파괴될 때, 또는 인터넷 접속 장애 때 입을 수 있는 손실의 폭은 감당할 수 없을 정도이다. 이러한 관점에서 정보 보호의 중요성은 아무리 강조해도 지나치지 않다고 생각한다.

옛 우리 선조들은 대문을 잠그고 다니지 않았다. 그러나 각 가정마다 소유하는 재산이 늘어나고 사회가 복잡해짐에 따라, 이제는 모든 사람들이 외출할 때 습관처럼 문을 잠근다. 더 이상 문단속을 시간이 걸리고 귀찮은 일이라고 생각하는 사람은 없다. 거의 무의식적으로 문을 잠그고 다니게 되었다.

정보 보호도 처음 시작하는 단계에서는 시간이 들고 귀찮다는 생각을 할 수 있다. 그러나 정보 보호는 컴퓨터를 사용하는 방법을 익히는 것만큼이나 중요한 일이며, 귀중한 자신의 정보를 안전하게 보호하는 길임과 동시에, 중장기적으로 돌이킬 수 없는 사고를 막을 수 있는 유일한 방법임을 알아야 한다. 앞으로는 이러한 생각을 가지는 사람들만이 정보화 사회에서 앞서갈 수 있을 것이다.

인터넷에서 공격은 쉽고 방어는 어려운 이유

CEO AHN CHEOL SOO

이제 인터넷은 일상 생활에서 없어서는 안 되는 필수 불가결한 정보 교환의 창구로 자리잡았다. 동시에 인터넷은 다른 어떤 통신 수단보다도 정보 보호 측면에서 허점이 많은 것도 사실이다.

열 명의 경찰이 한 명의 도둑을 잡기 힘들다는 말이 있다. 이 말은 인터넷에서도 그대로 적용될 뿐만 아니라, 오히려 날이 갈수록 공격은 더 쉬워지고 방어는 더 어려워지고 있는 추세이다. 거기에는 다음과 같은 이유들이 있기 때문이다.

가장 큰 이유는 인터넷의 개방성 때문이다. 인터넷이 급속하게 보급되는 이유는 내 컴퓨터 하나로 인터넷에 연결된 어떤 컴퓨터에도 접속이 가능하며, 반대로 어떤 컴퓨터도 내 컴퓨터에 접속할 수 있기 때문이다. 그러나 인터넷의 최대 장점이라고 할 수 있는 이러한 개방성은, 정보 보호의 관점에서는 최대의 단점이 될 수밖에 없다.

모든 곳이 열려 있는 상황에서 그대로 두자니 어디로 도둑이 들어올지 알 수 없고, 그렇다고 모두 막아버리자니 인터넷을 사용하는 이유가 없어져버리는 셈이다. 따라서 인터넷의 개방성을 최대한 살리면서 동시에 정보 보호에도 신경써야 하는 것은, 두 마리의 토끼를 동시에 잡는 것보다도 어려운 일이다.

둘째 이유는 인터넷의 응용 범위가 넓어짐에 따라, 인터넷에 접속된 하드웨어 장비들과 응용 소프트웨어들이 복잡해지기 때문이다. 예전에 이메일과 웹 페이지 정도만 사용하던 수준에서 벗어나서, 이제는 거의 모든 업무를 인터넷을 통해 처리하다보니 시스템의 구성이 엄청나게 복잡해졌다.

시스템이 단순했을 때는 허점도 금방 찾을 수 있고 그 수도 많지 않기 때문에 비교적 방어가 수월했지만, 이제는 인간의 능력으로는 도저히 모든 허점을 찾을 수 없을 정도로 복잡성도 증가하고 그 수도 엄청나게 많아졌다.

셋째 이유는 해킹 기술의 발달이다. 예전에는 컴퓨터 바이러스 기술이나 해킹 기술도 비교적 간단한 수준이었다. 그러나 이제는 암호화나 스텔스(stealth) 기법과 같은 고도로 발달한 다른 기술들이 여기에 접목되고, 심지어는 전혀 다른 영역이었던 컴퓨터 바이러스 기술과 해킹 기술까지도 합쳐지면서 엄청난 파괴력을 가진 새로운 기술들이 계속 탄생하고 있다.

넷째는 이러한 해킹 기술들이 서로 공유되면서 상승 작용이 일어나고 있기 때문이다. 예전에는 해커들이 혼자서 독립적으로 연구하는 게 보통이었다. 그러나 이제는 인터넷을 통해서 해커들끼리 그룹을 형성하고, 공동 작업도 쉽게 벌이고 있다.

나아가 초보자도 바이러스 제작이나 해킹을 쉽게 할 수 있도록 도와주는 툴(tool)까지 인터넷상에서 배포되고 있다. 프로그래밍 지식이 없더라도 누구나 쉽게 바이러스 제작이나 해킹을 시도할 수 있게 된 것이다.

다섯째는 관리의 어려움에서 비롯한다. 이제 컴퓨터는 기업 활동에서 핵심 도구가 되었다. 조직 내에서 사용하는 컴퓨터의 수가 많아지고 응용 범위도 넓어짐에 따라서, 몇 사람의 관리자가 모든 전산 자원을 완벽하게 관리하기란 사실상 불가능하다. 이제는 컴퓨터를 쓰는 모든 사람의 참여 없이는 총체적으로 정보 보호는 물론이며 관리 자체가 불가능해진 상황이 된 것이다.

따라서 컴퓨터 사용자들은 교육을 통해서라도 보안 지식을 습득하고 최소한 자신이 사용하고 있는 컴퓨터에 대해서는 책임을 지고 관리하는 자세가 필요하다. 시스템 관리자의 역할도 전체적인 전산 자원에 대한 계획과 관리를 담당하고, 사용자들이 자신의 컴퓨터를 관리할 수 있도록 도와주는 것으로 바뀌어야 바람직하다.

이러한 것들이 인터넷에서 공격은 쉬워지고 방어는 어려워지는 대표적인 이유들이라고 할 수 있겠다. 드디어 백 명의 정보 보호 전문가가 한 명의 해커를 막기도 어려워지는 시대가 도래한 것이다.

해킹 vs 바이러스

컴퓨터를 공격하는 것에는 두 가지 종류가 있다. 해킹과 바이러스, 더 정확하게 이야기하자면 해킹과 악성 코드이다.

해킹(hacking)은 알기 쉽게 설명하자면 해커가 인터넷을 통해서 특정 컴퓨터에 침입하여 자료를 훔쳐 보거나 변형, 파괴를 일삼는 행위를 말한다. 이 과정에서 들키지 않기 위하여 여러 다른 컴퓨터를 경유지로 거친 다음에 최종 공격 목표에 침입하는 경우가 많다.

악성 코드(malicious code)란 컴퓨터에서 사용자가 원하지 않는 일을 사용자 몰래 하는 소프트웨어를 총체적으로 일컫는 것으로, 컴퓨터 바이러스뿐만 아니라 최근 언론에서 많이 보도되고 있는 웜과 트로이목마 프로그램 등이 모두 여기에 속한다.

컴퓨터 바이러스는 단순하게 설명하자면 일종의 복사(copy) 프로그램이라고 할 수 있다. 단 한 가지의 차이점은 컴퓨터의 복사 프로그램은 사용자가 원할 때, 명령을 내릴 때만 실행되는 데 비해서, 컴퓨터 바이러스는 사용자가 원하지도 않고 명령을 내리지도 않았는데 저절로 실행된다는 것이다. 즉 컴퓨터 바이러스는 '사용자 몰래 실행되는 복사 프로그램' 이라고 설명할 수 있다.

웜(worm)도 컴퓨터 바이러스와 마찬가지로 사용자 몰래 실행되는 복사 프로그램이지만, 공격 목표가 다르다. 컴퓨터 바이러스는 다른 파일을 공격해서 거기에 붙어다니는 데 비하여, 웜은 다른 컴퓨터가 공격 목표가 된다. 따라서 컴퓨터 바이러스는 한 컴퓨터 내에서 가능한 한 많은 파일을 감염시킨 다음에 다른 컴퓨터로 옮겨가지만, 웜은 바로 다른 컴퓨터로 옮겨갈 수 있다. 컴퓨터 바이러스가 전 세계를 감염시키는 데는 어느 정도 시간이 필요한 데 비해서, 웜은 거의 30분 내로 전 세계의 컴퓨터를 감염시킬 수 있는 것도 이러한 특성 때문이다.

트로이목마(Trojan horse) 프로그램은 '트로이목마'라는 이름이 뜻하는 대로, 정상적인 프로그램처럼 보이지만 사실은 프로그램 내부에 사용자 몰래 자료를 빼내가는 등의 기능이 숨겨져 있는 프로그램을 말한다. 그러나 컴퓨터 바이러스나 웜처럼 복사 기능은 없기 때문에 스스로 다른 파일이나 컴퓨터를 감염시키지는 않는다.

이러한 악성 코드들은 소프트웨어 불법 복사나 의심스러운 웹 사이트 그리고 이메일을 통해서 퍼져나가는 경우가 많다.

해킹과 이러한 악성 코드들을 알기 쉽게 설명하자면, 세 가지 점에서 큰 차이가 있다.

첫째, 해킹은 1:1의 특성이 있다. 한 명의 해커가 한 번에 한 대의 컴퓨터를 공격하는 것이 기본적이다. 반면에 악성 코드는 1:다수의 특성이 있다. 하나의 컴퓨터 바이러스나 웜이 스스로 증식하여 여러 개의 파일이나 컴퓨터를 동시에 공격하기 때문이다.

둘째, 해킹은 해커가 어떤 의도를 가지고 특정한 컴퓨터에 침입하기 때문에, 일반적으로 구체적인 공격 목표를 가진다. 반면에 악성 코드는 자기 스스로 감염시키거나 침입할 수 있는 곳을 찾아서 퍼져 나가기 때문에 특정한 공격 목표를 가지기보다는 불특정 다수를 공격하게 된다.

셋째, 해킹은 해커가 직접 컴퓨터에서 컴퓨터로 공격을 하기 때문에 흔적이 남을 수 있고 그에 따라 추적이 가능하다. 반면에 악성 코드는 일단 한 컴퓨터에 침입한 다음에는 스스로 증식하고 퍼져나가기 때문에 추적이 불가능하며 어디를 통해서 왔는지 경로조차 파악하기가 힘들다.

정보 보호도 단순하게 정의하자면 앞에서 설명한 해킹이나 악성 코드로부터 컴퓨터를 보호하는 것이라고 할 수 있다. 좀더 구체적으로는 내가 가지고 있는 중요한 자료를 다른 사람들이 보거나 변형하거나 파괴하지 못하게 하고, 또 내가 원할 때는 항상 볼 수 있도록 만들어놓는 것을 정보 보호라고 정의할 수 있다.

정보 보호의 두 가지 패러다임 변화

CEO AHN CHEOL SOO

최근 들어서 전 세계적으로 1·25 인터넷 대란 등 많은 사고가 발생하고 있는 것은 정보 보호 분야에서 두 가지 커다란 패러다임(paradigm)의 변화가 진행되고 있기 때문이다. 컴퓨터 바이러스 기술과 해킹 기술의 결합, 그리고 개인용 컴퓨터에 대한 해킹이 그것이다.

가장 큰 패러다임의 변화는 컴퓨터 바이러스 기술과 해킹 기술의 결합이라고 할 수 있다. 예전에는 컴퓨터 바이러스와 해킹은 서로 전혀 다른 영역이었다. 컴퓨터 바이러스는 스스로 증식하는 프로그램으로 개인용 컴퓨터가 주 공격 대상이었고, 해킹은 해커가 여러 가지 기법을 사용하여 취약점이 있는 서버나 대형 컴퓨터에 침투하는 것이었다. 또한 컴퓨터 바이러스는 백신 프로그램으로 막을 수 있었고, 해킹은 네트워크 보안 솔루션으로 막을 수 있었다.

그러나 컴퓨터 바이러스 기술과 해킹 기술이 합쳐지면서 심각한 패러다임의 변화가 생기게 되었다. 예전의 컴퓨터 바이러스는 한 컴퓨터 내에서는 무서운 속도로 증식하지만, 스스로 다른 컴퓨터를 감염시키지는 못했다. 사용자들이 감염된 디스크를 다른 컴퓨터에서 실행시키거나, 감염된 이메일을 열어보고 첨부 파일을 실행시키는 실수를 통해서만이 수동적으로 다른 컴퓨터를 감염시킬 수 있었던 것이다.

그러나 이제는 컴퓨터 바이러스의 복제 기술과 해킹의 침입 기술이 결합하면서, 해킹 기술을 사용하여 네트워크에 연결된 컴퓨터들에 스스로 능동적으로 침입하고 증식할 수 있게 되었다. 또한 한 걸음 더 나아가서, 공격당한 컴퓨터를 근거지로 이용하여 다시 다른 컴퓨터들을 공격하면서, 전 세계로 급속하게 퍼져나갈 수 있는 엄청난 파괴력을 가지게 된 것이다.

또한 인터넷상에서 피해자와 가해자의 구별이 없어진 것도 이러한 패러다임의 변화에서 비롯한다. 과거에는 컴퓨터 바이러스나 해킹에 침입을 당한 사람만이 피해를 보았다. 따라서 컴퓨터 보안 사고는 당사자만의 문제로 생각되었고, 주위 사람들에게는 남의 일, 운이 안 좋아 당한 일로 치부될 수밖에 없었다.

그러나 최근에는 컴퓨터 바이러스 기술과 해킹 기술이 합쳐지면서, 한 컴퓨터가 감염이 되면 이 컴퓨터가 다시 다른 컴퓨터들을 공격하는 전진 기지가 되어버리고 만다. 따라서 이제는 피해자와 가해자가 따로 있는 것이 아니라 피해자가 동시에 가해자가 되어버리는 '피해자=가해자' 의 등식이 성립되는 세상이 되었다.

인터넷을 도로에 비유하자면, 예전에는 교통량이 적어서 자동차 사고가 나더라도 그 차만이 문제가 되었지만, 지금처럼 교통량이 많아진 상황에서는 자동차 사고가 나면 뒤따라오는 차들도 연쇄 충돌을 일으켜 도로가 전부 막혀버리는 상황과 유사하다고 할 수 있다.

이제는 한 사람이라도 제대로 하지 않으면 그곳을 통해서 모두가 피해를 당하며, 혼자만이 아니라 주위의 다른 사람들까지 피해를 당하게 되는 것이다.

이것을 정보 보호의 '하향 평준화' 현상이라고 부를 수 있다. 즉 전체 중에서 가장 취약한 부분 또는 사람이 그 조직 전체의 정보 보호 수준을 결정하는 상황이 된 것이다.

패러다임의 둘째 변화는 개인용 컴퓨터에 대한 해킹이다. 예전에는 해킹의 목표가 네트워크에 물려 있는 중대형 컴퓨터였다. 그 당시의 컴퓨터 사용 환경은 중대형 컴퓨터에 단말기들을 붙여서 사용하는 형태였기 때문에 중요한 자료들은 모두 중대형 컴퓨터에 저장해 놓았다. 해커들의 관심은 중요한 자료들에 있기 때문에, 공격 목표는 그것들이 저장되어 있는 중대형 컴퓨터가 될 수밖에 없었다. 따라서 이를 막으려는 시스템 관리자와 해커 사이에 치열한 싸움이 전개되게 되었다. 프로와 프로 간의 대결이었으며, 일반 사용자는 해킹에 대해서 신경 쓸 필요가 없었다.

개인용 컴퓨터가 등장하면서 해커에게 새로운 공격 목표가 나타났지만 초창기의 개인용 컴퓨터는 성능도 강력하지 못했고, 네트워크에 연결되지 않은 경우가 대부분이었다. 따라서 해커들이 직접 개인용 컴퓨터를 공격할 수 있는 수단이 없었다. 컴퓨터 바이러스는 이러한 상황에서 해커들의 욕구(?)를 충족해 줄 수 있는 훌륭한 수단으로 등장했다. 1980년대 중반에 나타난 컴퓨터 바이러스는 그 이후 놀랄만한 전염력과 파괴력으로 전 세계를 휩쓸었다. 이리하여 중대형 컴퓨터에 대한 해킹과 개인용 컴퓨터에 대한 컴퓨터 바이러스의 공격이 공존하는 시대가 오랫동안 지속되었다.

그러나 1990년대 중반부터 개인용 컴퓨터의 성능이 강력해져서 중대형 컴퓨터의 수준과 맞먹게 되고, 많은 개인용 컴퓨터가 인터넷에 직접 연결되면서 상황이 서서히 바뀌고 있다.

중요한 자료들이 중대형 컴퓨터가 아닌 개인용 컴퓨터에 저장되고, 전자 상거래, 온라인 뱅킹, 사이버 주식 거래 등 중요한 경제 활동이 인터넷에 연결된 개인용 컴퓨터에서 이루어짐에 따라 해커들의 관심이 자연스럽게 개인용 컴퓨터로 옮겨가게 되었다. 해커들의 입장에서는 인터넷에 연결된 개인용 컴퓨터는 접근하기가 용이할 뿐만 아니라, 일반 사용자들은 정보 보호에 대한 개념이나 지식이 아직은 상당히 부족하기 때문에 손쉽게 값진 정보들을 많이 얻어낼 수 있기 때문이다.

개인용 컴퓨터가 얼마나 큰 위험에 노출되어 있는지는 인터넷에 널리 퍼져 있는 자료 공유 프로그램을 보면 쉽게 알 수 있다. 이러한 프로그램들은 가입자들의 개인용 컴퓨터에 저장되어 있는 파일들을 전 세계에 흩어져 있는 다른 가입자들이 직접 보고 가져갈 수 있도록 해준다. 개인용 컴퓨터가 인터넷에 연결되어 있는 한 전 세계의 누구라도 내 컴퓨터에 쉽게 들어올 수 있다는 사실을 증명해 주는 셈이다.

개인용 컴퓨터 해킹은 이미 다양한 형태로 나타나고 있으며, 해커들이 사용하는 도구들도 다양해지고 있다. 가장 잘 알려져 있는 형태는 원격 제어 프로그램이다. 사용자가 알지 못하는 사이에 설치되며, 컴퓨터에 이런 프로그램이 설치되어 있으면 사내의 동료나 심지어는 미국에 있는 해커도 자유롭게 내 자료들을 꺼내 보고 변형하고 삭제

하고 망가뜨릴 수 있다.

심지어 키보드 입력 정보를 빼내가는 프로그램도 있다. 이런 프로그램은 컴퓨터에 잠복해 있다가 사용자의 키보드 입력 내용을 파일로 남긴 다음에 특정한 이메일 주소로 그 내용을 전송한다. 실제로 국내에서 이를 이용하여 다른 사람의 은행 계좌번호와 비밀번호를 알아낸 다음에 자신의 계좌로 송금한 금융 사고가 발생한 적도 있다.

이러한 두 가지 패러다임의 변화에 가장 크게 타격을 입는 것은 일반 사용자들이다. 대부분의 개인용 컴퓨터가 윈도라는 표준 운영체제를 사용하고 있고, 인터넷으로 연결되어 있으며, 관리 지식이 부족하다보니 공격이 진행되면 급속하고 광범위하게 피해가 확산될 수밖에 없는 것이다.

이러한 패러다임의 변화는 정보화 시대의 새로운 위협이다. 인터넷의 개방성이 주는 장점을 최대한 살리면서, 이러한 역기능들을 슬기롭게 극복하는 것이 21세기를 살아갈 우리에게 남겨진 과제일 것이다.

1·25 인터넷 대란

CEO AHN CHEOL SOO

2003년 1월 25일 토요일, 세계 제일이라고 평가받던 우리나라의 초고속 인터넷 망은 200자 원고지 한 장 정도의 데이터도 되지 않을 만큼 작은 크기의 SQL 오버플로 웜(SQL_Overflow worm) 혹은 슬래머 웜(Slammer worm) 때문에 순식간에 마비되고 말았다. 오후 2시 30분경에 우리나라 전역에 걸쳐서 발생한 인터넷 접속 장애는 그 이후 거의 9시간 동안 지속되었다.

그나마 불행 중 다행이었던 것은 이 대형 사고가 토요일에 일어났다는 점이다. 만약 평일에 그러한 사고가 발생했다면 사이버 주식 거래를 비롯하여 많은 중요한 금융 활동이 지장을 받았을 것이고, 소송이 줄을 이었을지도 모른다. 또한 사고를 일으킨 웜이 인터넷 접속에만 지장을 초래하고 다른 파괴 활동을 하지 않아 피해를 그나마 줄일 수 있었다. 생각만 해도 아찔한 순간이었다.

당시 전 세계의 감염된 컴퓨터 중에서 한국이 차지하는 비율은 12%로, 미국의 43%에 이어서 두 번째로 많았다. 한국의 앞선 초고속 인터넷 인프라를 생각한다면 그 정도면 나쁘지 않다고 생각할 수도 있겠지만, 한국의 IT 예산 규모가 전 세계의 1.2%에 불과하다는 점을 생각해 보면 심각한 결과라고 할 수 있다.

각 국가가 보유하고 있는 전산 장비의 규모는 대략적으로 IT 예산 규모와 비례한다. 세계적인 마케팅 조사 기관에서 발표한 자료에 따르면 IT 예산 규모면에서 1위는 미국으로 전 세계의 절반 정도를 차지하고 있고, 2위는 일본으로 10% 정도, 한국은 1.2% 정도의 규모로 10위를 차지하고 있다.

따라서 만약 전 세계 모든 국가의 정보 보호 수준이 비슷하다면, 세계적인 보안 사고가 발생했을 때 입을 수 있는 손해는 보유하고 있는 전산 장비의 규모 또는 IT 예산 규모와 비례한다고 가정할 수 있다.

1·25 인터넷 대란이 발생했을 때 감염된 컴퓨터의 비율은 미국이 전 세계의 43%로, 정보 보호의 수준은 평균을 상회하는 정도라고 추측할 수 있다. 일본은 놀랍게도 1.72%로 극히 미미한 정도여서, 정보 보호에 대해서는 세계 선진국 수준임을 입증했다. 그러나 한국은 세계 평균 수준이었다면 1.2% 정도에 그쳐야 했음에도 불구하고, 그 열 배인 12%를 차지했다. 더구나 국가 전체의 인터넷이 마비된 것은 한국이 유일했음은 기억해야 할 사실이다.

물론 각 국가마다 사용하는 컴퓨터의 종류와 소프트웨어의 종류, 네트워크 구성, 인터넷의 보급 정도 등이 다르기 때문에 이 수치만으로 절대 비교를 하기에는 조금 무리가 있을 수 있다. 그러나 이 자료만으로도 다른 국가들에 비해서 상대적으로 우리가 얼마나 심각한 수준인지는 잘 알 수 있을 것이다.

우리는 항상 큰 손실을 당하고 나서야 대책 마련에 분주해지곤 한다. 그렇지만 많은 경우에 대책은 임시적인 방편에 머무르고, 다시 사고가 확대 재생산되는 악순환을 거듭하곤 했다. 정보 보호 분야 역시 예외가 아닐 것이다. 1·25 인터넷 대란 이후에 정부 차원에서 많은 활동이 벌어지고 있지만, 국가 전체적으로 보면 아직도 미흡한 부분들이 절대적으로 많이 남아 있다. 급한 불은 껐지만 불씨는 아직도 어디엔가 살아 있는 셈이다.

바이러스의 미래

CEO AHN CHEOL SOO

컴퓨터 바이러스를 포함한 악성 코드들은 앞으로도 더욱 발전된 형태로 더 큰 문제를 일으킬 가능성이 농후하다.

최근에 흔히 볼 수 있는 경향 중의 하나는 사회 공학적인 접근이다. 많은 악성 코드가 이메일을 통해서 전파되는데, 사람들의 심리를 이용해서 열어보게 만드는 것이다. 해커들의 입장에서는 이러한 방법을 잘 이용하면 굳이 최신 기술을 개발하지 않더라도 더 효과적으로 악성 코드를 퍼뜨릴 수 있기 때문에, 이 부분에 대해서도 많은 연구가 이루어지는 것으로 보인다.

지난 2000년 전 세계를 휩쓸었던 러브레터 바이러스가 좋은 예가 될 수 있다. 그 당시만 하더라도 이러한 시도는 거의 처음이었기 때문에, 모르는 사람으로부터 'I Love You' 라는 제목의 이메일을 받았을 때 많은 사람이 의심하지 않고 호기심에 열어보고 말았다.

그 후로는 안나 쿠르나코바의 사진을 포함하여 성(性)과 관련된 내용, 돈과 관련된 내용 등 사람들의 호기심을 자극할 수 있는 다양한 방법들이 총동원되고 있다. 발신인을 친한 사람의 이메일 주소로 바꿔서 보내는 경우도 이제는 흔한 방법이 되었다.

또한 인터넷상에서 새로운 응용 프로그램이 나올 때마다 그곳이 악성 코드가 퍼지는 새로운 통로로 이용되곤 한다. 메신저(messenger)가 널리 보급되면서 이를 통해 퍼져나가는 악성 코드가 나오기 시작한 것도 같은 맥락이다.

컴퓨터 발전의 역사를 살펴보면 새롭고 편리한 기능과 안전함이 서로 상충될 때면 대부분의 경우에 기능이 우선시되었다. 안전함을 희생하면서 기능 추가가 이루어졌다는 뜻이다. 그러다보니 보안은 계속 취약해지고, 악성 코드의 침투나 해킹의 가능성은 계속 높아질 수밖에 없는 것이다.

그러나 무엇보다도 걱정이 되고 파괴력이 커질 가능성이 높은 것은 모바일 환경, 더 나아가서 유비쿼터스(ubiquitous) 환경의 도래이다. 유비쿼터스 환경이란 언제 어디서나 모든 지능형 기기들이 인터넷에 연결되어 있는 환경을 말한다.

이 글을 쓰고 있는 현재는 본격적인 휴대 전화 바이러스가 등장하지 않은 상태이다. 더 정확하게 이야기하자면 휴대 전화용 악성 코드가 발견되기는 했지만 널리 퍼지지는 않은 상태이다. 그 이유는 휴대 전화들마다 환경이 다르고, 무선 인터넷 망은 일반 인터넷 망과 분리되어 따로 관리되고 있기 때문이다. 그러나 앞으로 휴대 전화들의 환경이 표준화하고 무선 인터넷 망이 개방되는 것은 시간 문제일 뿐이며 세계적인 추세인 점을 감안해 본다면 결코 좌시할 수 없는 문제가 될 것이다.

유비쿼터스 환경이 도래하여 가전제품들까지도 인터넷에 연결된다면 더 희한한 일들이 벌어질 수 있을 것이다. 맞벌이 부부를 위해서 전기밥솥이 인터넷에 연결되어 밥을 할 수 있는 환경이 된다면, 전 세계를 돌아다니면서 밥을 태우는 바이러스가 등장하지 않는다고 누가 장담할 수 있겠는가? 그래서 우리 회사에서는 농담 반 진담 반으로 '미래에 우리가 해야 할 일은 인류를 위해서 전기밥솥을 안전하게 보호하는 일이다' 라는 이야기를 독수리 오형제인 양 말하곤 한다.

컴퓨터 기반의 네트워킹은 누구도 부인할 수 없는, 인류의 새 패러다임이다. 아울러 사람의 생활을 편리하게 하는 인프라가 발달할수록 역기능도 함께 존재할 수밖에 없는 것이 현실이다. 이러한 변화의 시대를 잘 헤쳐나갈 수 있도록 우리 모두의 슬기로운 대처가 필요할 때이다.

정보 보호에 잘못 알기 쉬운 다섯 가지 기본 개념

CEO AHN CHEOL SOO

정보화 시대를 살아가는 현대인으로서 정보 보호에 대한 지식은 기본적으로 갖추어야 할 상식이자 에티켓이 되었다. 자신의 컴퓨터 보호에도 적극적으로 나서야 하지만, 사이버 공간을 이용할 때 다른 사람에게 피해를 주지 않기 위해서도 정보 보호에 대한 지식은 절대적이다.

정보 보호는 일반적인 컴퓨터 상식과는 다른 부분이 많다. 여기에 대해서 가장 기본적이면서도 중요한 다섯 가지 개념을 정리해 보았다.

첫째, 정보 보호를 위해서는 정보 보호 담당자뿐만 아니라 컴퓨터 사용자 모두의 적극적인 참여가 필수적이다. 회사와 같은 조직에서는 정보 보호 담당자나 전산실에 모든 문제를 맡기고, 다른 사람들은 그저 컴퓨터를 사용하기만 하면 되는 것으로 알고 있는 경우가 많다. 또한 보안 사고가 생겨도 담당 부서에 해결을 맡기고, 전적으로 책임을 지우는 경우도 허다하다.

그러나 지금은 모든 사용자의 참여 없이는 정보 보호 자체가 불가능한 상황이 되었다. 정보 보호의 패러다임 변화와 함께 감염된 컴퓨터가 다시 다른 컴퓨터를 공격하는 일이 벌어지면서 가해자와 피해자의 구분이 없어져버렸고, 모두 열심히 대비하는 상황에서도 한 사람만 주의를 게을리 하다가 피해를 입으면 그 피해가 전체 조직으로 파급되기 때문이다. 따라서 회사라면 전 직원, 국가라면 전 국민적인 참여 없이는 보안 문제를 해결할 수 있는 방법이 사라져버렸다.

이제 정보 보호 담당자나 전산실의 역할은, 사용자 각자가 정보 보호를 잘할 수 있도록 도와주고 관리해 주는 것이며, 정보 보호의 일차적인 책임은 사용자가 직접 진다는 점을 모두 인식해야 한다. 이것은 경찰이 전 사회적인 보안을 책임지고는 있지만, 각 가정에서는 각자가 보안을 위해서 최선을 다해야 하는 것과 같은 이치이다. 문을 잠그지 않고 외출했다가 도둑이 들었다면, 일차적인 책임은 물론 직접적인 손해와 그에 따르는 고통도 본인의 몫이기 때문이다.

둘째, 정보 보호는 생활 습관과 업무 스타일의 변화가 요구되는 힘든 일임을 인식해야 한다. 여기에 필요한 교육을 받고, 관리를 위해서 새롭게 시간과 비용을 투자하는 것은 개인이든 회사든 귀찮고 힘든 일이다. 익숙해지지 않은 상태에서는 업무 효율이 떨어질 수도 있다. 그러나 이러한 과정을 거쳐야만 장기적으로 더 큰 피해를 막을 수 있다는 점을 잊지 말아야 한다.

자동차에서 내린 후 자동차 문을 잠그는 행위를 필요 없거나 귀찮다고 생각하는 사람이 있는가. 컴퓨터 정보 보호도 마찬가지이다. 처음에는 귀찮고 시간이 들 수 있지만, 올바른 업무 습관으로 자리잡는다면 경쟁력 향상에 큰 보탬이 될 것이다.

셋째, 조직을 맡고 있는 리더 또는 경영진의 적극적인 관심과 솔선수범이 필수적이다. 정보 보호는 변화가 필요한 힘든 일이라고 앞서 이야기했다. 따라서 이것은 일종의 변화 관리(change management)의 개념으로 접근하는 것이 옳다. 일반적으로 개인이든 조직이든 변화에 대해서는 여러 가지 이유를 들어서 다시 그전으로 회귀하려고 하는 경향이 있게 마련이다. 이러한 상황에서는 리더가 적극적으로 나서지 않는다면 아무리 많은 예산과 시간을 들이더라도 실패할 가능성이 매우 높아질 수밖에 없다.

넷째, 일반 소프트웨어는 '제품'이지만, 백신 소프트웨어와 같은 정보 보호 소프트웨어는 본질적으로 '서비스'라는 점을 이해하고 있어야 한다. 소프트웨어라는 범주에 함께 속해 있고, 동일하게 소프트웨어라고 불리고 있지만, 일반 소프트웨어와 정보 보호 소프트웨어 간에는 엄청나게 큰 차이점이 있다. 이러한 차이점을 이해하고 있어야 정보 보호 소프트웨어를 올바로 사용할 수 있다.

예를 들어서 워드 프로세서와 같은 일반 소프트웨어는 그 자체로 완성된 제품이라고 할 수 있다. 한번 구입하고 나면 회사로부터 지속적으로 지원을 받지 않더라도 사용할 수 있으며, 새로운 버전이 나오는 경우에도 자기가 필요로 하는 기능이 없다면 굳이 구입하지 않아도 되기 때문이다.

반면에 정보 보호 소프트웨어는 처음 구입한 상태 그대로는 사용할 수 없다. 백신 소프트웨어를 예로 들자면, 새로운 컴퓨터 바이러스가 거의 매일 출현하기 때문에 수시로 업데이트(update)되어야 하며, 처음 구입한 후에도 이러한 업데이트 '서비스'를 받아야만 제 성능을 발휘할 수 있다.

워드 프로세서는 제품 개발이 끝나면 그것으로 완성이 되고 다음 버전의 개발이 시작되지만, 백신 소프트웨어에서는 제품의 완성은 일의 끝이 아니라 시작을 의미한다. 제품이 완성되면, 그때부터 24시간 비상 근무를 하면서 새로운 컴퓨터 바이러스에 대한 신고를 받고 이를 처리하는 작업을 시작해야 하기 때문이다.

즉 정보 보호 소프트웨어는 소프트웨어라는 탈을 쓴 '서비스'라고 말할 수 있다. 전 세계적으로 업무용 소프트웨어와 정보 보호 소프트웨어가 함께 번들로 묶여서 판매되지 않는 이유도 이러한 커다란 차이에서 기인한다.

개발비 면에서도 정보 보호 소프트웨어를 완성하기까지의 개발비보다, 그 이후에 정보 수집 인프라를 만들고 업데이트 서비스를 하고 고객 지원을 하는 데 더 많은 사람과 비용이 들어간다. 일반 소프트웨어가 기간의 개념 없이 제품으로서 판매되는 반면에, 백신 소프트웨어가 1년 단위로 계약이 갱신되는 이유도 거기에 있다.

다섯째, 정보 보호 소프트웨어는 사용자를 '도와주는' 하나의 도구라고 이해해야 한다. 다시 백신 소프트웨어를 예로 들자면, 백신 소프트웨어에 대한 올바른 지식을 가지고 시간과 비용을 투자하여 제대로 사용법을 익힌 사람은 컴퓨터 바이러스에 대한 피해를 최소화할 수 있다. 그러나 백신 소프트웨어를 설치만 해놓은 채 정기적인 업데이트도 받지 않고 관리도 하지 않는 사람에게는 백신 소프트웨어는 무용지물일 뿐이며 새로운 컴퓨터 바이러스의 침입에 속수무책으로 당할 수밖에 없다.

즉 정보 보호 담당자가 사용자들의 보호 노력을 도와주는 것과 마찬가지로, 정보 보호 소프트웨어도 올바른 지식과 의지를 가지고 자신의 컴퓨터를 지키려는 사람들을 도와주는 좋은 도구인 것이다.

정보 보호의 주체는 전산실도 소프트웨어도 아닌, 사용자라는 점을 항상 명심해야 한다.

현재로서는 정보 보호 문제를 근본적으로 해결할 수 있는 방법이 존재하지 않는다. 아마 우리가 사용하는 컴퓨터의 구조가 근본적으로 변하지 않는 한, 바이러스와 웜은 계속 우리 곁에서 우리를 괴롭힐 가능성이 높다. 생물학적 바이러스인 에이즈 바이러스나 사스 바이러스가 나타난 후에야 치료 방법을 연구할 수 있듯이, 컴퓨터 바이러스와 웜도 발견된 다음에야 퇴치 방법을 강구할 수 있기 때문이다.

자동차가 존재하는 한 자동차 사고는 생길 수밖에 없으나 사고의 대부분은 자동차 때문이 아니라 운전자 때문에 발생하는 것과 마찬가지로, 정보 보호 문제도 컴퓨터를 사용하는 한 언제든지 일어날 수 있다는 점을 인식하고 악성 코드나 해킹 자체에 대해 기술적인 측면에서만 매달릴 것이 아니라 사람에게도 초점을 맞추는 것이 바람직하다고 생각한다. 즉 기술 개발과 함께, 악성 코드를 만들고 유포하는 사람에게는 적절한 제재 조치를, 일반 사용자들에게는 사고와 피해를 최소화할 수 있도록 기본 개념에 대한 교육과 실천을 병행하는 노력이 지속적으로 필요할 것이다.

개인 사용자들도 이제는 자신의 컴퓨터를 보호하려 할 때 외부의 도움만을 기대해서는 안 된다. 적극적이고 능동적인 태도로 스스로 대처해야 하며, 그러기 위해서는 정보 보호의 기본 개념에 대한 이해와 함께 다음에 제시할 여덟 가지 안전 수칙을 지키는 노력이 중요하다.

첫째, 소프트웨어는 반드시 정품을 사용한다. 불법 복사된 소프트웨어는 유통 과정에서 사용자도 모른 채 악성 코드에 감염되었을 가능성이 높으며, 경우에 따라서는 해커가 의도적으로 악성 코드를 집어넣어서 유통시킬 수도 있기 때문이다.

둘째, 조금이라도 의심이 가는 소프트웨어는 절대로 사용하지 않는다. 잘 알려진 공개 소프트웨어라고 할지라도 출처가 불분명하거나, 처음 접하는 소프트웨어의 경우에는 바로 실행하지 말고 항상 먼저 의심해 보아야 한다.

널리 알려진 공개 소프트웨어는 가능하다면 원래 배포 사이트에서 직접 받아 사용하는 것이 가장 좋은 방법이며, 많은 사람이 사용하는 포털 사이트의 자료실을 이용하는 경우라도, 며칠 기다린 다음에 다른 사람들로부터 문제가 없음이 입증된 다음에 받아서 사용하는 것이 좋다. 처음 접하는 소프트웨어의 경우 책이나 잡지를 찾아보거나 주위 사람들에게 물어봐 정체를 파악한 다음에 사용하는 것이 좋다.

셋째, 이메일의 첨부 파일은 바로 실행하지 않는다. 첨부 파일을 실행하기 전에 반드시 송신자와 글의 내용을 먼저 확인해 보아야 하며, 잘 아는 사람으로부터 받은 이메일이라고 할지라도 첨부 파일만 있거나 내용이 뭔가 이상하다면 송신자에게 직접 확인해 보는 것이 좋다. 요즈음의 악성 코드들은 이메일 송신자를 속여서 보내는 경우도 많기 때문이다.

넷째, 지금까지 계속 문제 없이 사용했던 인터넷 사이트나 공신력 있는 기관의 인터넷 사이트 이외에는 이용하지 않는 것이 좋다. 새로운 사이트를 방문하고자 할 때는 반드시 책이나 잡지, 또는 주위에 물어보는 방법 등을 통해서 안전한 사이트라는 것을 먼저 확인해야 한다.

다섯째, 컴퓨터나 인터넷 사이트에서 사용하는 암호는 적어도 한 달에 한 번씩 변경하는 것이 좋다. 또한 공동으로 사용하는 컴퓨터에서는 본인의 아이디(ID)나 암호를 절대로 저장해서는 안 된다.

암호는 의외로 허술한 구석이 있어서 해커들이 우연히 또는 여러 번 시도 끝에 알아낼 수도 있다. 따라서 암호를 최소 한 달에 한 번씩 변경하는 노력을 기울인다면, 만일의 경우에라도 피해를 줄일 수 있다.

여섯째, 백신 프로그램과 PC 방화벽의 사용은 기본이다. 그리고 항상 최신 버전이 동작하도록, 자동 업데이트를 설정해 놓거나 정기적으로 업데이트를 받아야 한다.

일곱째, 윈도와 같은 운영체제 및 사용하고 있는 소프트웨어의 홈페이지를 정기적으로 방문해서 보안 패치(patch)를 설치해야 한다. 특히 윈도는 자동 업데이트가 되도록 설정해 놓는 것이 좋다.

마지막으로, 중요한 자료는 백업(backup)을 해놓아야 한다. 컴퓨터를 사용하다보면 악성 코드가 아니더라도 중요한 자료가 파괴되는 일이 있을 수 있다. 사용 중 실수로 지워버리는 일은 컴퓨터 사용자라면 한두 번씩은 경험해 본 일일 것이다. 또한 컴퓨터가 고장이 날 수도 있으며, 노트북 컴퓨터의 경우 떨어뜨릴 수도 있다. 심지어는 통째로 도둑맞거나 잃어버리는 일도 다반사다. 따라서 이러한 모든 경우에 대비하는 유일한 방법은 중요한 자료를 정기적으로 다른 곳에 복사해 두는 것이다.

최근에는 USB 메모리 저장 장치를 이용한다면 손쉽게 백업이 가능하다. 단, 이 경우에도 저장 장치를 분실할 수 있기 때문에, 백업을 할 때는 파일을 암호화하거나 전용 백업 소프트웨어를 사용하는 것이 안전한 방법이다.

기업에는 앞에서 설명한 개인 사용자의 안전 수칙 이외에 전체 조직을 위한 추가로 고려할 사항들이 있다.

첫째, 기업들은 무엇보다도 먼저 그 기업에 맞는 정보 보호 정책(policy)을 만들어야 한다. 기업들은 저마다 특유의 문화와 업무 습관, 의사결정 방식, 조직, 프로세스, IT 환경 등을 가지고 있기 때문에 같은 업종의 회사라고 할지라도 한 회사의 정보 보호 정책을 다른 회사에 그대로 사용하기는 어렵다.

기업마다 스스로 또는 정보 보호 업체의 컨설팅을 통해서 회사 실정에 맞는 정책을 개발해야 하며, 이러한 정책을 바탕으로 정보 보호 소프트웨어에 대한 투자가 진행되는 것이 바람직하다. 이러한 고려 없이 먼저 투자가 진행되는 경우에는 원하는 효과를 얻지 못할 수 있다.

둘째, 전산자원 관리는 정보 보호의 기본이다. 우리나라에서 일어나는 보안 사고 중에는 보안 사고라기보다는 기본적인 관리에 문제가 있어서 일어나는 경우가 의외로 많다. 사용하지 않는 포트를 그대로 방치해 두거나, 사용자 계정에 대한 관리에 허점이 있거나, 중요한 보안 패치를 설치하지 않는다면 사고가 생기는 것은 시간 문제일 뿐이다. 따라서 먼저 기본적인 관리들이 잘 이루어지고 있는지를 점검해 보아야 한다.

셋째, 포인트 솔루션보다는 관리가 가능한 통합 보안 솔루션을 고려해 보는 것이 좋다. 예전에는 컴퓨터 바이러스로 대표되는 악성 코드와 해킹이 따로 존재했지만, 이제는 여러 가지 기술들이 결합된 복합 공격이 주를 이루고 있다. 따라서 방어하는 쪽에서도 필요한 여러 가지 방어 기술들을 통합된 형태로 설치하고 이를 중앙에서 관리하는 것이 필요하다.

예를 들면 웜의 경우 백신 소프트웨어만으로는 컴퓨터에 침투한 웜을 치료할 수 있지만, 웜이 다른 컴퓨터로 전이되는 것을 막기는 힘들다. 웜이 옮겨다니는 것을 차단하는 데는 PC 방화벽(firewall)이 훨씬 효과적이다. 따라서 개인용 컴퓨터에서는 백신 소프트웨어와 PC 방화벽이 함께 결합한 형태로 서로 연동되고, 이를 관리자가 중앙에서 정책을 내려 관리하는 형태가 가장 효과적일 수 있다.

게이트웨이에서도 콘텐츠 관리의 관점에서는 백신 소프트웨어와 스팸 차단 소프트웨어가 하나로 통합된 형태가 가장 바람직하다. 따라서 앞으로는 여러 가지 형태로 상호 보완할 수 있는 기술들이 통합된, 다양한 솔루션들이 나올 것으로 전망된다.

넷째, 긴급대응 조직 및 시스템이 필요하다. 이제 전산 인프라는 기업 활동에 필수 불가결한 요소가 되었다. 전산 인프라에 문제가 생기면 기업 활동 자체가 정지되는 경우도 많이 있다. 따라서 회사의 비상 상황에 대비하기 위해 비상 연락망이 있는 것처럼, 전산 인프라에 긴급한 상황이 발생하면 밤중이나 주말에도 대응할 수 있는 체계를 갖추어놓는 것이 바람직하다.

큰 규모의 조직이라면 자체적으로 이러한 체계를 마련해놓는 게 좋겠고, 작은 조직이라면 24시간 정보 보호 관제 서비스를 제공하는 업체에 아웃소싱을 주는 형태가 괜찮을 것이다.

정보 보호 회사 내부에도 이러한 긴급대응 조직이 존재하며, 안연구소에도 ASEC(AhnLab Security E-response Center)라는 조직이 있다. 정보 보호 회사는 근본적인 대책을 만들어서 내놓아야 하기 때문에, 사건이 발생한 후 대응할 때까지 걸리는 시간을 최대한 줄이기 위해서 지속적으로 노력하고 있다. 특히 백신 소프트웨어는 항상 컴퓨터 바이러스나 웜이 출현한 다음에 대책을 세울 수밖에 없기 때문에, 신고를 받고 분석한 후 치료 기능을 개발하기까지 일정한 시간이 소요되게 마련이다.

이러한 문제를 극복하기 위해서 나름대로 개발한 방법 중의 하나로 VBS(Virus Blocking Service)가 있다. 24시간 악성 코드의 동향을 감시하고 있다가 새로운 것이 나왔을 때는 신속하게 특징만을 분석해서 미리 차단하는 방법이다. 백신 소프트웨어는 정확하게 진단하고 치료해야 하기 때문에 완성되기까지 몇 시간이 걸릴 수도 있지만, 차단 방법만을 개발하는 데는 10분에서 30분이 걸리지 않는다. 따라서 초기에 급속하게 확산되는 웜에 대해서는 현재까지 개발된 방법 중에는 가장 빠르고 효과적인 방법이라고 할 수 있다.

이러한 방법 이외에도 대응 시간을 조금이라도 줄일 수 있는 새로운 방법이 없을지 끊임없이 고민해야 하는 것이 정보 보호 전문가들에게 주어진 숙제이다.

다섯째, 정기적인 사용자 교육이 필요하다. 앞에서도 이야기한 것처럼 완벽한 정보 보호를 위해서는 모든 컴퓨터 사용자의 능동적인 참여가 필수적이다. 이를 위해 회사 차원에서 이루어지는 일반적인 업무 교육과 함께, 정보 보호에 대한 기본 개념과 안전 수칙 등을 정기적으로 교육하는 것이 바람직하다.

기업에 따라서 정보 보호를 비용으로 생각하고 기피하는 경우가 있다. 가능하면 당장 급한 업무용 하드웨어나 소프트웨어를 구입하는 데 더 높은 우선 순위를 두는 것이다. 사고가 나면 그때 해결하고 보자는 식이다.

그러나 이러한 접근 방식은 장기적으로는 사고 해결에 더 많은 비용이 들어갈 뿐만 아니라, 정보 보호가 전산 자원의 효율적인 이용과 매출 증대에도 기여한다는 점을 간과한 것이다.

정보 보호가 전산 자원의 효율성을 증대시켜 예산을 절감하는 경우를 예로 들어보겠다. 개인용 컴퓨터에는 사용자들이 눈치 채지 못하는 가운데 백도어를 비롯한 여러 가지 악성 코드가 침투해 있을 수 있다. 이러한 경우 사내에서 악성 코드가 발생시키는 트래픽이 상당량을 차지하게 된다. 그런데도 인터넷 속도가 예전보다 느리다고 해서 계속 새로운 하드웨어를 구입하고 인터넷 회선의 속도만 높이는 것은 예산을 낭비하는 일이 될 수 있다. 오히려 정보 보호에 대한 컨설팅이나 투자가 전산 자원을 효율적으로 사용할 수 있게 하는 부가적인 이득을 가져다주는 셈이다.

또한 정보 보호에 대한 투자를 마케팅 툴로 활용하여 고객의 신뢰를 얻거나 매출을 증대시킬 수 있는 가능성은 항상 열려 있다. 세계적인 마케팅 조사 기관이 소비자들에게 인터넷에서의 거래가 안전하다는 확신이 든다면 이를 적극적으로 이용하겠느냐는 조사를 한 적이 있다. 이때 기존의 고객보다 훨씬 많은 사람이 이를 이용하겠다고 응답했으며, 기존의 고객도 이용 횟수를 늘리겠다는 대답을 얻었다고 한다. 소비자에게 신뢰감을 심어줄 수 있다면 직접적인 매출의 증가도 가능하다는 조사 결과라고 볼 수 있다. 또한 장기적으로 신뢰 확보에 따른 효과는 기업 활동의 많은 부분에서 긍정적으로 작용할 수 있을 것이다.

따라서 기업에서도 정보 보호에 대한 투자를 비용으로 생각하기보다는, 장기적인 경쟁력 강화와 고객과의 신뢰 구축을 위하여 이를 자산화하고 활용할 수 있는 방안으로 검토하는 적극적인 자세가 필요하다.

보안 사고 피해는 태풍 매미보다 무섭다

CEO AHN CHEOL SOO

우리나라 사람들은 차를 별로 무서워하지 않는다. 차들 역시 사람을 무서워하지 않는다. 많은 사람이 길을 걸을 때나 운전을 할 때 사고에 대한 큰 두려움 없이 일상을 살아간다.

그러나 국가 차원에서 보면 문제는 달라진다. 한 사람 한 사람의 태도만 보면 큰 차이가 없는 것 같지만, 이러한 태도들이 모여서 국가 단위의 규모를 이루면 상당한 차이를 만들어낸다. 우리나라의 교통 사고 사망률이 세계 최고 수준이 되어버린 것도 결코 우연이 아니다. 한 사람 한 사람의 입장에서는 요행이 있을 수 있지만, 한 나라 정도의 규모가 되면 요행은 바랄 수 없기 때문이다.

정보 보호 분야에서도 마찬가지이다. 정보 보호가 중요하다고는 모두 알고 있지만 실제로 행동으로 옮기기는 쉽지 않다. 사고가 나면 그때 대처하겠다는 안일한 생각이 대부분이다.

그렇다면 우리나라 전체에서 정보 보호 문제로 얼마나 많은 피해가 발생할까? 불행하게도 교통 사고와는 달리 국가적인 통계가 따로 나와 있지 않다. 기업 내부에서도 웬만큼 피해가 크지 않으면 위에 보고하지 않고 그냥 넘어가는 경우도 있으며, 심지어는 피해를 당한 당사자가 모르고 있을 수도 있기 때문에, 국가 전체의 정확한 피해 규모를 파악하기는 더 어려울 수도 있다.

그러나 경영에서는 '숫자로 표현할 수 없는 것은 비즈니스가 아니다'라는 말이 있다. 계량화하고 측정할 수 없는 것은 의사 결정을 하기도 힘들고 그 결과에 대해서 평가하기도 힘들다는 뜻이다. 국가 단위의 정책 결정도 이러한 측면에서는 비즈니스와 크게 다르지 않을 텐데, 정보 보호 문제로 인한 피해 규모처럼 기본적인 자료가 없는 상황에서는 올바른 정책 결정을 하기도 힘들고 그 정책의 효과를 평가하기는 더 힘들다.

그러나 피해 규모의 추정이 반드시 불가능한 것은 아니다. 전 세계 피해 규모에 우리나라가 차지하는 비율을 곱하는 방법으로 대략적인 산출이 가능하다.

전 세계의 피해 규모에 대한 추정치는 이미 여러 공신력 있는 기관들을 통해서 매년 발표되고 있다. T사는 보안 사고 중에서 특히 악성 코드로 인한 피해 규모가 2003년에 550억 달러에 달했다는 추정치를 발표한 바 있다. 또한 리처드 클라크 미 대통령 사이버 보안 자문위원은 2003년 호주 시드니에서 열린 AVAR 컨퍼런스에서 보안 사고로 인한 전 세계의 피해 규모가 2002년에는 450억 달러 그리고 2003년에는 1,300억 달러에 이를 것이라는 견해를 발표한 적이 있다.

이에 따라 우리나라의 피해 규모에 대한 대략적인 추정이 가능하다. 우리나라의 IT 예산 규모는 전 세계의 1.2% 정도를 차지한다. 따라서 만약 우리의 정보 보호 수준이 세계 평균 수준이라면 피해 규모도 1.2% 정도라고 가정할 수 있다. 그러나 우리의 수준이 이 정도라고 믿는 사람은 아무도 없을 것이다. 2003년 1·25 인터넷 대란이 일어났을 때, 전 세계의 감염된 컴퓨터 중 12%를 우리나라가 차지했다. 최악의 상황이었다고 가정하더라도 우리나라의 피해 규모가 전 세계의 12% 정도였다는 사실이 입증된 셈이다.

따라서 2003년 전 세계 피해 규모 자료 중 악성 코드만을 계산한 보수적인 추정치인 550억 달러와 그해 1·25 인터넷 대란 당시의 감염률인 12%를 곱해서 우리나라의 피해 규모를 계산해 보면, 66억 달러, 2003년 평균 환율 1,190원으로 계산하면 한화로 7조 8,500억 원이라는 액수가 나온다.

그 해에 발생했던 태풍 매미의 피해액이 4조 원이었음을 생각해 본다면, 우리가 미처 깨닫지 못하는 사이에 태풍 매미 피해액의 두 배에 달하는 금액이 허공으로 사라져버린 셈이라고 할 수 있다.

이러한 결과로 비추어볼 때, 보수적으로 감염률을 더 낮추어 계산하더라도 매년 조 단위의 피해가 발생하고 있음은 쉽게 추정이 가능하다.

해마다 태풍이 지나갈 때는 정부 차원에서 비상대책반을 가동하고 피해 복구를 위해 각계각층에서 성금이 줄을 잇지만, 보안 사고는 1·25 인터넷 대란과 같은 국가 규모의 사건을 제외하고는 깨닫지 못하고 그냥 지나가버리는 경우가 부지기수다. 보안 사고는 대부분이 교통 사고와 마찬가지로 1년 내내 우리나라 전역에서 소규모지만 광범위하게 발생하는 특성이 있기 때문이다.

사람과 자동차가 서로를 무서워하지 않다보니 국가적인 규모에서 교통 사고 사망률이 세계 최고 수준이 된 것과 마찬가지로, 우리의 안전 불감증을 생각해 본다면 이 정도 피해가 생기는 것은 당연하다고 할 수 있다. 만약 교통 사고 사망률이 통계로 잡히지 않았다면 우리가 세계 최고 수준이라는 사실을 모르고 지나갔을지도 모른다. 보안 사고 역시 국가 경쟁력을 크게 훼손하고 있지만, 전체적인 통계로 잡히지 않아서 모르고 지나치고 있는 것뿐이다.

또한 교통 사고 사망률이 전체 사망자 수가 아닌, 인구 10만 명당 사망자 수로 계산하는 것처럼, 보안 사고 규모도 절대 규모만으로 따진다면 미국보다 작겠지만 우리나라가 가지고 있는 전산 자원의 단위 규모당 사고로 따진다면 교통 사고 사망률처럼 세계 최고 수준일 가능성이 높다는 데 문제의 심각성이 크다.

따라서 우리가 우선적으로 해야 할 일 중 하나는 국가 전체의 보안 사고 피해 규모를 산출하는 일이다. 특히 절대 규모뿐만 아니라 전산 자원 규모당 사고 규모에 대한 자료가 필요하다. 이러한 기초 자료가 탄탄하게 뒷받침되어야 그 기반으로 정책 방향을 결정하고, 추후에 정책에 대한 평가도 가능할 것이다.

단, 이 일은 행정부나 그 산하 기관보다는 국회 산하 기관이나 감사원 또는 언론 등 공신력 있는 기관에서 하는 것이 적절하다고 본다. 행정부에서는 정책을 수립하고, 결과에 대한 평가는 다른 기관에서 하는 것이 바람직하기 때문이다.

이러한 기초 자료 조사 이외에도, 국가적인 차원에서 정보 보호를 다룰 때 가장 중요한 일은 '공공과 민간의 적절한 역할 분담' 이다. 정보 보호는 다른 분야와는 달리 민간에만 맡겨두어서도 안 되며, 정부의 주도에도 한계가 있는 특수성을 가지고 있다. 보안 사고는 우리나라 전역에서 광범위하게 발생하기 때문에 정부에서 모든 사고에 대처할 수도 없는 노릇이며, 그렇다고 민간에만 맡겨둔다면 1·25 인터넷 대란과 같은 국가적인 규모의 사고에 대해서 일사불란한 대응이 어렵기 때문이다.

이미 미국에서는 대통령령을 비롯한 많은 정부 문서에 정보 보호의 핵심적인 성공 요소는 공공과 민간의 적절한 역할 분담이라고 명문화해 있다. 그리고 다른 선진국들 역시 이 점에 대해 이견이 없다.

그러나 아무리 좋은 원칙이라도 실행하는 과정에서는 매우 세심한 주의가 필요하다. 세부적인 곳까지 역할 분담과 협력 방법 그리고 평가 방법 등을 정해두지 않으면 협력이 이루어지지 않을 뿐만 아니라 서로가 다투거나 경쟁하는 양상을 띠는 등 웃지 못할 일이 벌어질 수도 있다.

특히 우리나라처럼 정보 보호 기업들이 대부분 중소 벤처기업인 상황에서는 정부와 기업이 협력하는 것이 아니라, 공공 기관이 스스로 예산과 인원을 늘리면서 기업이 할 일까지 빼앗는 상황이 발생할 수 있다. 모든 일을 공공 기관 혼자서 잘할 수 있다면 문제는 없겠지만, 기업에 비해 현저히 떨어지는 속도로 모두 감당할 수는 없는 노릇이다. 최악의 경우 국내 벤처기업들은 우리나라 정부와의 경쟁에서 망해버리고, 그 자리를 외국 회사들이 채울 가능성도 있다.

따라서 민간과의 적절한 역할 분담과 아웃소싱을 통한 바람직한 협력 모델을 만들기 위해서 정부 스스로 앞장서야 할 것이다.

다음으로 중요한 일은 정보 보호 산업의 육성이다. 더 정확하게는

'투명하고 공정한 시장을 만드는 일' 이다. 정보 보호 산업 역시 지식 정보 산업에 속하기 때문에, 국내 지식정보 산업의 문제점이라고 할 수 있는 소비자 시장의 부재, 대기업 SI 업체 위주의 유통 구조, 정부의 잘못된 구매 관행이 모두 존재하고 있다. 우리나라에서 우선 순위가 떨어지는 위험 관리의 영역이기도 하기 때문에, 더 극명하게 문제점이 표출된다고 볼 수 있다.

정부에서는 '도와주겠다' 는 마음에 앞서서, 시장에서 왜곡된 부분은 없는지 그리고 공공 기관 스스로가 산업을 축소하는 데 앞장서고 있지는 않은지 조사하고 대책을 세워야 한다. 공공 기관의 담당자들에게 정보 보호 산업을 육성하는 데 대한 아무런 인센티브 없이 예산 절감만을 중요한 평가 기준으로 삼는다면, 이를 보완할 제도의 부재 속에 산업이 쇠퇴해 가는 것을 막을 수가 없다.

정보 보호 예산을 별도 항목으로 잡고 일정 비율을 할당한다면 이러한 폐해를 조금이라도 줄일 수 있을 것이다. 미국의 경우 IT 예산 중 정보 보호 예산이 8% 정도이지만 우리나라는 1%대에 불과하고, 그마저도 항목이 구분되지 않아 다른 쪽으로 전용되는 경우가 많기 때문이다.

또한 발주시에도 정보 보호를 포함한 소프트웨어는 하드웨어와 분리 발주하는 방법을 통해서 전용되거나 손실이 전가되는 경우를 최소화할 수 있을 것이다.

아울러 소프트웨어에 대한 조달 가격의 보호도 필수적이다. 소프트웨어도 정부에 납품되는 제품이기 때문에 일반 소비자가에 비해서 아주 낮은 수준으로 조달 가격이 책정되어 있다. 그러나 실제 납품 과정에서는 예산 절감이라는 명목으로 스스로 정한 조달 가격을 무시하고 터무니없이 낮은 가격을 요구하는 경우도 있다. 예산을 절감하려는 노력은 바람직하고 권장되어야 하지만, 그 때문에 자칫 국내 소프트웨어 업체들이 고사하게 된다면 국가적으로는 빈대를 잡으려다 초가삼간을 태우는 격이란 것을 명심해야 한다. 따라서 최소한 조달청에 등록된 소프트웨어들은 조달 가격을 보장해 줌으로써 중소 소프트웨어 업체들을 보호할 수 있는 장치가 필요하다.

또한 공공 기관에는 정보 보호에 대해서 어느 정도의 의무를 부과하는 것이 바람직하다. 정부가 관리하는 컴퓨터가 거점이 되어 다른 민간 기업에 피해를 주는 일은 일어나지 않도록 해야 하기 때문이다. 정부에서는 1·25 인터넷 대란 이후에 국가 단위의 감시 시스템과 조기 경보 시스템을 구축하는 데 역점을 두었고 소기의 성과를 거두기도 했다. 그러나 이러한 시스템은 국가 규모의 대형 사고는 최소화할 수 있겠지만, 일선에서 일상적으로 일어나는 보안 사고에 대해서는 속수무책이다. 각 기관 단위로 일어나는 보안 사고를 막기 위해서는 기관별로 예산을 수립하고 대응하는 방법밖에는 없다.

민간에 대해서도 한시적인 부가세 면제나 세제 혜택 등으로 정보 보호 산업을 육성할 수 있을 것이다. 산업의 규모가 워낙 작기 때문에 여기에 필요한 재원의 규모도 얼마 되지 않으며, 그에 비해서 효과는 매우 클 것으로 생각한다.

마지막으로 정부가 해야 할 일은 국민에 대한 계도 활동이다. 정보 보호는 인터넷을 사용하는 사람이라면 누구나 필수적으로 알아야 하는 상식이다.

자동차를 예로 들면, 운전을 위해서는 기본적인 지식과 기술을 익혀 면허를 따야 하며, 운전을 할 때는 교통 법규를 준수해야 하고, 차량에 대해서도 정기 점검을 받는 것이 기본이다. 무면허로 운전하거나 신호등을 비롯한 교통 법규를 지키지 않고 오랫동안 차량을 점검하지도 않는다면 그만큼 사고의 확률이 높아지고, 피해도 대형화하기 쉽다.

컴퓨터의 경우에도 마찬가지이다. 당장 컴퓨터와 인터넷을 사용하는 데 필요한 최소한의 기능만 익힌 후 정보 보호에 대해서는 전혀 관심이 없거나, 시간과 비용을 들여서 정기적으로 점검하지 않는 경우에는 사고가 나기 쉽다. 또한 자동차 사고와 마찬가지로 혼자만이 아니라 다른 사람에게도 큰 피해를 줄 수 있다.

따라서 인터넷을 사용하여 혜택을 받는 사용자라면 자신과 주위의 다른 사람들을 위해서 최소한의 정보 보호 수칙은 지켜야 한다. 이것이 이제는 공공 장소가 된 인터넷에서 지켜야 할 에티켓이라는 생각이 자리를 잡아야 할 것이다.

그리고 이를 위해서 범국가적으로 캠페인을 전개하는 등 여러 가지 사회적인 공감대를 형성하는 노력들이 필요한 시점이다. 전 국민적인 참여 없이는 성공적인 정보 보호는 이루어질 수 없기 때문이다. 이제 진정한 IT 강국이 되기 위한 우리 모두의 인식의 전환이 필요할 때이다.

세계화가 가속화하면서 그리고 서비스 산업까지도 외국에서 아웃소싱되면서, 직종에 상관없이 이제 나의 경쟁 상대는 옆자리 동료나 우리나라의 다른 회사에서 일하는 사람만이 아니게 되었다. 나와 피부색도 다르고 언어도 다르고 한 번도 보지 못한 사람이 나의 일자리를 빼앗을 수 있는 경쟁자가 된 것이다. 이제는 세계를 보고 경쟁력을 키워야 하는 시대가 도래하고 있다.

글로벌 시대의 성공

4

이제 경쟁 상대는 옆자리 동료가 아니다

10년 전쯤에 2004년의 세상이 이러한 모습일 거라고 상상할 수 있었을까? 아무리 10년이면 강산이 바뀐다지만, 과거와는 변하는 속도와 질이 전혀 다른 것 같다. 10년 동안 인터넷은 세상을 송두리째 바꾸어놓았다. IMF 환란으로 우리나라가 큰 어려움에 빠진 것도 10년 사이에 일어난 일이다. 그리고 비행기 자체를 무기로 삼아 미국을 공격한 9·11 테러와 같은 엄청난 일이 발생할 것이라고, 또한 중국이 저렇게 발전하리라고 10년 전에는 도저히 상상조차 하지 못했다.

그러면 지금부터 10년 후의 세상은 어떻게 변해 있을까? 역시 상상하기 쉽지 않을 것이다. 상상하지도 못한 일들이 벌어지고, 생각하지도 못한 기술들로 세계가 바뀔 것이다. 그렇지만 현재 진행되고 있는 세계화(globalization)가 더 가속화할 것이라는 점만은 확실하다.

토머스 프리드먼의 『렉서스와 올리브 나무(*The Lexus and the Olive Tree*)』에서, 미국 사람들이 자신의 신용카드 명세서에 대해서 문의 전화를 하면 그 전화를 인도의 콜센터에서 받는다는 이야기를 읽고 충격을 받은 적이 있다. 더구나 미국 남부 지방에서 전화를 하면 그 지역 사투리 교육을 받은 상담원이 응답을 하기 때문에, 전화를 건 사람은 자기 지역 사람과 이야기하고 있다고 생각한다는 것이다. 자신의 가장 소중한 비밀인 신용카드 사용 내역에 대해서 인도 사람과 이야기하고 있다고는 꿈에도 생각하지 못하는 것이다.

그전까지 가지고 있던 내 상식으로는, 제조업이나 공장은 해외로 이전할 수 있어도 서비스 산업은 힘들다고 생각했다. 제조업은 제품의 사양이나 생산 공정이 표준화하고 자동화하면서 사업 여건이 좋고 인건비가 낮은 국가로 쉽게 이전이 가능하다. 특히 세계화가 급속도로 진행되면서 이러한 현상은 가속화되고 있다.

반면에 서비스 산업은 문화나 언어와 밀접한 관련이 있기 때문에 공장처럼 외국으로 이전하기는 어렵다는 것이 그때까지 나의 상식이었다. 그러나 인도의 콜센터 얘기를 기점으로 종래의 그런 관념이 허물어지고 말았다.

IT 산업의 발달은 통신 비용의 감소와 컴퓨터 성능의 향상을 불러왔다. 급속도로 진행되는 세계화가 이러한 IT 산업의 발달과 맞물리면서 이제는 서비스 산업조차도 외국으로 아웃소싱이 가능한 시대가 된 것이다.

20여 년 전 대학원에 처음 들어갔을 때의 일이다. 대학교를 다닐 때는 교수님이 공부하라는 것만 하면 되었다. 내 시간을 어떻게 이용해야 하는지 정해져 있었던 셈이다. 그런데 대학원에 진학하면서 그런 제약이 없어졌다. 필요하다고 생각하는 분야를 내가 골라서 공부할 수 있게 된 것이다.

내가 전공한 분야는 의학 연구 분야였는데, 그 분야에서 인정받는 길은 유명한 외국 저널에 논문을 발표하는 것이었다. 그 목표를 향해 열심히 노력하면서 하루하루를 보냈다.

그러다가 어느 날 잠자리에 들어 하루를 정리하는데 문득 이러한 생각이 들었다. 내 경쟁 상대들은 세계 각국의 실험실에서 열심히 일하고 있는 비슷한 나이의 사람들이다. 내가 잠을 자고 있는 사이에도 미국에 있는 내 경쟁자들은 열심히 공부하고 있지 않겠는가? 그런 생각이 드는 순간 초조함에 숨이 막힐 지경이었고 잠을 이룰 수가 없었다. 결국 밤중에 일어나서 책을 뒤적이게 되었고, 그 이후로는 잠을 줄여가면서 열심히 공부할 수밖에 없었다. 세계 각국에 흩어져 있는 미래의 경쟁자들을 의식하면서 말이다.

그때 위기감과 함께 느꼈던 것은 공부가 단순히 지식을 얻는 것만은 아니라는 사실이었다. 공부를 하면 할수록 자신이 얼마나 모르는 것이 많은지를 절감하게 된다. 또한 세상에는 나보다 뛰어난 사람들이 얼마나 많고, 다른 사람들이 얼마나 열심히 살고 있으며, 또 세상이 얼마나 빠르게 변해가는지를 느끼게 한다.

이와 정반대의 경험도 해보았다. 군대에 들어가 장교 훈련을 석 달간 받고 나서 부대에 배치되었는데, 그러다보니 훈련 기간은 물론이고 부대에 배치된 처음 얼마간은 공부와는 담을 쌓게 되었다.

그런데 신기하게도 점점 세상이 느리게 흘러가기 시작했다. 그 전까지 그렇게 급박하게 변해가던 세상이 마치 지구가 자전을 멈춘 것처럼 느리게 움직였다. 마음도 아주 편안해지고 세상에는 걱정할 것이 없는 것 같아 행복하기까지 했다.

그때의 경험을 통해서 세상이 얼마나 빨리 변해가는지는 열심히 공부하고 일하는 사람만이 알 수 있다는 것을 깨달았다. 공부하지 않다보면 자신이 얼마나 뒤처져 있는지를 느끼지 못하고 마음 편하게 있다가, 어느 순간에 경쟁에서 밀리고 결국 도태되고 마는 것이다.

20년이 지난 지금, 20년 전에 내가 했던 그 경험은 더 이상 연구직에 종사하는 일부 사람들만의 이야기가 아닌 것 같다. 세계화가 가속화하면서 그리고 서비스 산업까지도 외국에서 아웃소싱되면서, 직종에 상관없이 이제 나의 경쟁 상대는 옆자리 동료나 우리나라의 다른 회사에서 일하는 사람만이 아니게 되었다. 나와 피부색도 다르고 언어도 다르고 한 번도 보지 못한 사람이 나의 일자리를 빼앗을 수 있는 경쟁자가 된 것이다.

사람은 국가를 버리기가 무척 어렵다. 이민을 가는 경우도 일부 있지만, 문화와 언어, 가족에 얽혀서 살아가는 경우가 대부분이기 때문이다. 그렇지만 기업은 그렇지 않다. 자본주의하에서의 기업은 생물과도 같아서, 끊임없이 자기에게 가장 우호적인 환경을 찾아다니고 환경 변화에 가장 빨리 적응한다.

세계화가 진전됨에 따라서 기업의 활동 영역과 선택 범위가 점점 더 늘어나고 있다. 이러한 상황에서 개인이 살아남는 길은 같은 속도로 글로벌 경쟁력을 갖추는 방법밖에 없다. 이제는 세계를 보고 경쟁력을 키워야 하는 시대가 도래하고 있다.

2만 불 시대를 위한 두 가지 키워드

일본 언론과 인터뷰를 할 때면 가끔 받는 질문 중 하나가 한국인과 일본인의 차이점에 대한 것이다. 특히 한국의 벤처기업 창업과 인터넷 열풍이 민족성과 어떠한 관련이 있는지 궁금해 하는 경우가 많다.

나름대로 이야기하는 답변으로, 일본인은 매사에 조심스럽고 신중해서 준비가 완벽하게 끝난 다음이 아니면 일을 시작하지 않지만, 한국인은 약간의 위험을 감수하고서라도 앞으로 나아가려고 한다는 것이다. 이러한 차이가 일본은 세계 최고의 품질을 자랑하는 제품을 만들게 하는 반면에, 한국은 도전 정신과 모험심으로 무장하여 새로운 기회가 닥쳤을 때 빠르게 발전할 수 있게 하는 원동력이 되었을 것이다.

전 세계적으로도 우리나라의 발전 속도는 경이적인 것으로 평가받고 있다. 우리나라가 국민소득 1만 불 수준까지 빠르게 도달할 수 있게 만든 두 가지 키워드는 제조업과 위험 감수(risk taking)였다고 생각한다.

그러나 앞으로 2만 불 시대를 맞이하기 위해서는 전혀 다른 키워드가 필요하다. 바로 지식정보 산업과 위험 관리(risk management)이다.

제조업 분야에서 맹렬하게 추격해 오는 중국을 뿌리치기 위해서는 기존의 제조업에 부가가치를 더할 수 있는 지식정보 산업의 발전이 필수적이다. 성수대교 붕괴의 예를 보더라도, 이제는 위험을 감수하면서 앞으로 나아가기에는 우리의 산업 규모가 너무나 커져버렸다. 다리를 만들어서 사용하기만 하고 또다시 다른 다리를 만드는 데만 급급한 나머지 최소한의 관리나 점검을 소홀히 하다보면, 장기적으로 엄청나게 큰 손해를 가져올 수 있다는 점을 너무나 비싼 대가를 치르고 배운 셈이다.

그런데 여기서 문제는 우리나라의 지식정보 산업과 위험 관리의 수준 모두 현재로서는 낙관할 수 없다는 점이다. 특히 지식정보 산업은 3대 토양이라고 할 수 있는 지식정보의 가치에 대한 국민 인식, 공정하고 투명한 시장 환경, 그리고 정부 제도에 이르기까지 모든 면에서 취약한 것이 부정할 수 없는 우리의 현실이다.

지식정보 산업의 핵심이라고 할 수 있는 소프트웨어 산업만 보더라도, 소프트웨어는 공짜라는 인식이 여전히 바뀌지 않고 있으며, 불공정한 시장 환경과 국내 기업에 대한 역차별로 인하여 시장은 오히려 축소되거나 외국 기업에 자리를 내어주고 있고, 이를 바로잡을 제도도 제대로 마련되어 있지 않다.

또한 위험 관리는 우리 사회 전 분야에 걸쳐서 심각한 수준이다. 위험 관리 수준을 높이기 위해서는 인식의 전환과 시스템화 노력이 병행되어야만 한다. 그러나 아직도 많은 분야가 여러 가지 종류의 큰 위험에 아슬아슬하게 노출되어 있으며, 결국 큰 사고가 나더라도 일시적인 처방에 그칠 뿐, 같은 사고가 반복되지 않도록 제도에 반영하는 노력이 부족한 편이다.

지금 우리는 중요한 기로에 서 있다. 향후 몇 년간 우리가 이 시기를 어떻게 보내느냐에 따라서 장기적인 우리나라의 운명이 좌우될 수 있다. 2002년 월드컵 때와 같은 전 국민적인 단합 속에서 모두 함께 이 중요한 시기를 헤쳐 나갈 수 있게 되기를 간절히 바란다.

벤처 불황 앞에 선 도전

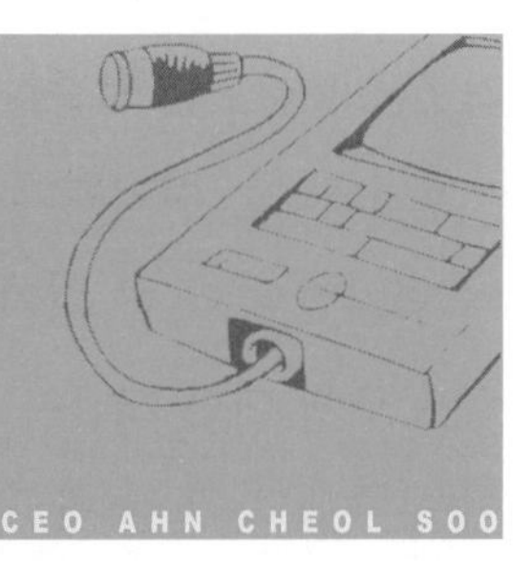

CEO AHN CHEOL SOO

글을 쓰고 있는 현 시점에도 IT 불황 그리고 벤처 불황은 끝날 줄 모르고 계속되고 있다. 불과 몇 년 전만 하더라도 지금은 사어(死語)가 된 '신경제'라는 새로운 용어가 나올 정도로 사상 최대의 호황을 온 국민이 즐겼기 때문에, 상대적인 상실감은 더 클 수밖에 없다.

이러한 불황이 지속되는 이유로는 여러 가지가 있을 수 있다. 특히 전 세계적으로 불어닥친 인터넷 기업에 대한 투자 열풍과 더불어 Y2K 문제가 겹치면서 IT 분야에 대한 수요가 폭발적으로 늘어났으며, 넘치는 투자 자금과 고속 성장하는 시장 앞에서 기업과 투자자 모두가 마치 최면에 걸린 것처럼 이성을 상실해 버린 것이다. 투자자는 언제까지나 기업 가치가 오를 줄로만 알았고, 기업은 위험 관리는 생각하지도 않고 공격적인 시설 투자를 감행했다.

그러나 인터넷 산업의 거품이 꺼지고 나자, 그 전까지 선순환 고리로 연결되었던 투자와 IT 수요가 이제는 악순환 고리로 바뀌고 말았다. 기업 가치가 하락하면서 많은 투자자가 손실을 보았고, 이에 따른 기업의 자금조달 사정의 악화가 IT 수요 감소로 연결되면서 과잉 시설 투자를 한 기업들의 실적이 악화했고, 이것이 다시 기업 가치의 감소를 불러오는 악순환에 빠지고 만 것이다.

우리나라는 여기에다가 벤처 기업가의 경영 미숙과 모럴 해저드까지 겹치면서 더 큰 위기를 불러왔다. 기술에만 중점을 둔 나머지 수익 모델에 대한 개념이나 마케팅 그리고 영업의 중요성에 대한 인식이 부족했고, 조직 관리의 경험이 없다보니 많은 문제점을 양산하게 된 것이다.

벤처 비리 사건들도 많은 사회 문제를 야기했다. 일련의 사건들의 원인은 벤처 업계 자체에도 있지만, 더 근본적으로는 우리나라가 가지고 있는 사회 구조적인 문제가 벤처라는 창을 통해서 불거져 나온 것이라고 생각한다. 따라서 문제가 된 일부 벤처기업가와 관계 정치인, 언론인 등만 처벌하고 관련되는 제도를 개선하는 것만으로 모든 문제가 해결되었다 생각하는 것은 큰 착각이다. 근본적인 문제가 해결되지 않는 한, 또 다른 사회 분야에서 유사한 일들이 생길 가능성이 농후하기 때문이다.

정부는 벤처 산업에만 국한된 단기적인 증상 치유책을 내놓기보다는, 장기적인 관점에서 사회 구조적인 근본적인 문제를 해결하는 방향으로 접근하는 것이 바람직할 것이다. 즉 경제 활동에 필요한 인프라 구축, 경영 투명성을 높일 수 있는 제도 개선, 코스닥 퇴출 강화, M&A 활성화, 규제 완화 등 공정하고 투명한 시장 만들기에 초점을 맞추어야 한다.

벤처 기업가들도 스스로 무엇을 잘못했는지에 대한 자성이 필요하다. 과연 투자자들에게 리스크에 대해 충분한 경고를 했는지, 사업을 벌여나가면서 수익 모델을 잊어버리지는 않았는지, 과열된 투자 분위기에 취해서 위기 관리를 소홀히 하지는 않았는지, 모두들 그렇게 한다는 핑계로 종래의 잘못된 경영 관행을 그대로 답습하지는 않았는지 등을 한 번쯤은 짚고 넘어가야 한다.

IMF 환란 때는 차분하게 마음을 가라앉히고 살아남는 데 최선을 다했다. 또한 허리띠를 졸라맴과 동시에 회사 조직을 정비하고 역량을 강화하는 데 집중하였다. 언젠가 기회가 온다면 더 큰 도약을 이루고 말겠다는 강한 의지를 가지고 있었기에 가능한 일이었다.

지금도 그때와 마찬가지의 상황이 아닌가 한다. 외부 경제 환경은 갈수록 열악해지고 있지만, 이 시기를 슬기롭게 넘기는 기업은 더욱 강한 기업으로 거듭날 수 있는 좋은 계기를 마련하는 것이라고 생각한다.

잘못된 일에 대해서는 반성이 필요하다. 그러나 반성은 책임 전가를 위한 희생양을 찾기 위해서가 아니라, 같은 실수를 반복하지 않기 위해서 필요한 일이다. 정부와 언론, 벤처 캐피털, 벤처 기업가, 일반 국민들 모두가 한 마음으로 우리의 지난 경험을 값지게 살리는 지혜와 장기적인 안목이 필요한 요즈음이다.

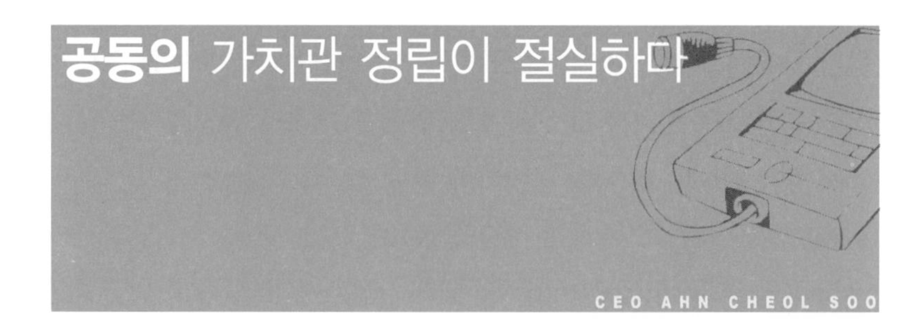

공동의 가치관 정립이 절실하다

요즘 우리 사회를 돌아보면 답답한 점들이 한두 가지가 아니라고들 한다. 타인에 대한 배려는커녕 다른 사람은 어떻게 되더라도 자기만 잘되면 된다는 개인주의와 집단 이기주의가 팽배해 있고, 원칙과 장기적인 시각을 가진 사람은 시대에 뒤처지는 어리석은 사람 취급을 받고 있다.

그러나 그 중에서도 우리 사회가 가지고 있는 가장 심각하고 근본적인 문제점은 가치관의 혼돈이 아닌가 한다. 우리의 의식과 생활 속에 뿌리 깊게 자리잡고 있던 유교 문화의 전통에 서구의 자본주의와 물질 문명이 몰아닥치면서 시작된 가치관의 혼돈은 우리를 심각한 지경으로 몰아가고 있다.

돈의 가치에 대해서 사회적으로 떳떳하게 밝히지 못하면서도 서구보다 더 심한 물질만능주의에 사로잡혀 있고, 성에 대해서 여전히 표면상으로는 유교적인 가치관을 내세우면서도 세계에서 가장 성을 사기 쉬운 나라로 전락하고 있다. 이러한 사회 전반적인 이중 잣대와 위선이 나라 전체를 병들게 하고 있는 것이다. 사회적인 많은 문제가 결국 여기에서 비롯되었다고 해도 과언이 아니라고 생각한다.

거기에다 사회 지도층에서부터 각계각층에 이르는 자살의 행렬, 서로의 자살을 도와주는 사이트의 등장, 불특정 다수에게 가해지는 '묻지마 살인'에 이르기까지 이 사회가 어디를 향해가고 있는지 혼란스럽기까지 하다.

사람은 생각과 행동이 다르면 혼란을 느끼고 심한 경우 정신 장애를 일으키기 쉽다. 사회와 같은 조직도 조직 자체의 판단 기준과 실제 행동이 다르다보면 사람과 마찬가지로 정신 장애를 앓는다. 솔직히 나는 현재 우리 사회가 조직적인 정신병을 앓고 있는 것은 아닌지 두렵기까지 하다.

따라서 늦었지만 지금부터라도 혼란 상태에 빠져 있는 사회적인 가치관 정립 문제를 논의의 장으로 끌어내고 공감대 형성을 해나가는, 사회문화 운동을 시작해야 할 시점이라고 생각한다. 그래서 힘들고 혼란스러워서 위치도 방향도 잃어버렸을 때 그 가치관이 뿌리가 되고 등대가 되어줄 수 있어야 한다.

공동의 가치관 같은 기본적인 것에 대한 사회적인 공감대 없이 각론만을 가지고 자기의 이익만을 얻기 위해 다투는 것은 어느 누구에게도 도움이 되지 않는 일이다.

근본적인 사회 문제에 대한 공개적이고 솔직한 토론과 상대방의 의견에 대한 배려와 존중 그리고 이견에 대해 적극적인 중재 역할을 할 수 있는 리더십, 합의에 대한 사회적인 공유와 공감대 형성이 아쉬운 때이다.

아날로그와 디지털

20세기 초반 미국에서 일어난 자동차 혁명은 사람들의 생활 모습을 완전히 바꾸어놓았다. 중산층들도 자동차를 소유할 수 있게 되면서 장거리 출퇴근이 가능해지자, 많은 사람이 공기 좋고 쾌적한 교외로 이주하기 시작했다. 사람이 자동차를 만들고, 다시 자동차가 사람들의 생활과 심지어는 운명까지도 바꾸어놓은 것이다. 이와 같이 인류의 역사는 인류가 도구를 만들고, 다시 이 도구가 인류를 바꾸어놓는 사건의 반복이라고 해도 과언이 아닐 것이다.

20세기 후반에 시작된, 인터넷으로 대표되는 디지털 혁명도 우리가 만든 디지털 도구들로 우리의 생활과 운명이 바뀌는 대표적인 예가 될 것이다. 우리가 자각하지 못하는 사이에 디지털은 삶의 곳곳에서 이미 뿌리를 내리고 있다. 디지털 환경은 먼 미래의 이야기가 아니다. 우리는 이미 디지털 환경에서 살고 있다.

나는 개인적으로 '아날로그적 사고방식'이라는 표현은 좋아하지 않는다. 디지털과 대립하고 폄하하는 편 가르기 식의 표현은 사회적인 갈등만 유발할 뿐이며 문제 해결에는 도움이 되지 않는다고 생각하기 때문이다. 그리고 아날로그든 디지털이든 인간으로서 갖추어야 할 기본적인 덕목과 원칙들은 예나 지금이나 변하지 않는다는 믿음을 간직하고 있다.

그러나 세계 최고의 디지털 환경과 조건을 갖추었음에도 우리 사회 곳곳에서는 이러한 환경에 역행하는 사고 방식과 의사 결정이 만연하고 있다. 의사 결정 계층에서 이루어지는 잘못된 판단은 그 부서, 그 조직, 심지어는 우리 사회 전체의 경쟁력을 떨어뜨리고 있다. 이러한 현상이 빠른 시간 내에 치유되지 않는다면 내부적인 갈등은 더욱더 심해지고 전체의 추진력은 점점 더 약화할 수밖에 없을 것이다.

문제는 스스로 모른다는 사실을 알고 있는 사람보다 스스로 알고 있다고 착각하는 사람이 더 큰 갈등을 야기하고 대화의 단절을 가져올 수 있다는 점이다. 디지털 시대의 최신 유행 용어를 쓴다고 해서 그 사람이 현 상황에 맞는 사고 방식을 가졌다고 단정할 수는 없다. 사용하는 표현과는 달리 사고 방식이나 판단 기준은 정반대인 경우도 심심찮게 접할 수 있으며, 단순한 명제 수준의 지식에 머물 뿐 핵심에 대한 파악과는 거리가 먼 경우도 많기 때문이다.

또한 이러한 현상은 기성 세대뿐 아니라 패턴은 다르지만 '디지털 세대'에 속한 사람들에게서도 쉽게 발견할 수 있어 문제의 심각성이 더 크다.

디지털 환경이 신뢰성 있는 자료 전송이나 멀티미디어, 또는 속도의 빠름만을 뜻하지는 않는다. 언제 어디서나 인터넷에 접속할 수 있고 디지털 방송을 볼 수 있는 환경만을 뜻하는 것은 더욱 아니다. 디지털 환경이란 이러한 기술적인 발전을 바탕으로 진행되는 모든 사회 문화적인 변화와 의식의 전환을 포괄하는 개념으로 이해해야 한다.

모든 자료들의 디지털화와 커뮤니케이션 비용의 감소와 함께 자연스럽게 진행되고 있는, 정보에 대한 권력이 개인들에게로 이동하는 현상은 민주화와 경제 발전이 맞물리면서 상승 작용을 나타내고 있다. 따라서 디지털 환경의 핵심 중 하나는 분권화와 개인화라고 볼 수 있다.

디지털 환경이 그 강점을 제대로 발휘하기 위해서는 서로에 대한 존중이 핵심으로 자리잡는 것이 당연하다. 분권화나 개인화는 자신만의 권리나 의견만을 내세워서는 이루어질 수 없기 때문이다.

그러한 맥락에서 현재 인터넷에서 벌어지고 있는 논의 방식에는 개선해야 할 점들이 많다. 젊은 세대라고 해도 타인을 존중할 줄 모르는 사람은, 인터넷은 사용할 줄 알지만 사고 방식은 전근대적인 사람과 다를 바가 없기 때문이다.

우리 사회의 가장 큰 문제는 아날로그와 디지털로 대표되는 세대 간의 대립이라는 이야기를 종종 듣는다. 타인에 대한 존중, 그리고 나도 틀릴 수 있다는 열린 마음을 통해서 양쪽 모두 거리를 좁히려는 노력이 절실하다.

사회적 합의를 위하여

CEO AHN CHEOL SOO

언제부터인가 우리 주위에는 집단 이기주의라는 말이 등장하기 시작했다. 사회를 구성하는 다양한 이해 집단들간에 이견이 생기는 것은 지극히 당연한 일이며, 이러한 이견을 서로간의 대화나 제삼자의 조정을 통해서 합의로 이끌어낸다면 건강한 사회의 모습 그 자체일 것이다. 그러나 지금 우리 사회의 집단들은 서로 한 발짝도 물러서지 않고 언제까지나 끝없는 평행선을 달리려고만 하며, 누구에게도 도움을 주지 못한 채 국가적인 에너지를 소진하고 있다.

우리나라에서 사회적인 합의가 잘 이루어지지 않는 이유에는 여러 가지가 있을 수 있지만, 서로간의 신뢰 부족이 가장 크다고 생각한다. 끊임없이 배신을 당해온 역사 속에서, 질투심과 경쟁심이 극심한 사회 환경 속에서, 그리고 투명성을 보장하는 시스템이 갖추어지지 않은 상황하에서 수평적인 관계의 집단들뿐만 아니라 수직적인 관계나 제삼자까지도 믿지 못하게 되었다. 이러한 역사적, 사회적, 제도적인 환경에 변화가 없다면 타인에 대한 배려는 자신만 손해보는 일이라는 생각이 사회 전반에 만연할 수밖에 없을 것이다.

또한 전반적인 커뮤니케이션 능력의 부족은 이러한 상황을 악화하는 데 일조하고 있다. 학교 교육이 사회 구성원의 일원으로서 갖춰야 할 소양을 함양하기보다는 개인 경쟁력 강화에 초점을 맞추고, 협력과 역할 분담보다는 서로간의 경쟁에 집중하다보니 여러 가지 문제점이 노출되고 있다. 커뮤니케이션 능력이란 말을 잘하거나 자신의 의견을 정확하게 전달하는 능력만을 뜻하지는 않는다. 상대방의 이야기를 경청하고 그 의도를 정확하게 파악하는 능력이야말로 커뮤니케이션 능력의 절반 이상을 차지한다.

그러나 자신이 하고 싶은 말만 하고, 듣고 싶은 말만 듣는 사람들이 의외로 많은 것 같다. 상대방 이야기의 전체 맥락을 이해하려고 노력하기보다는, 듣고 싶은 부분만 듣고 자신의 생각에 맞는 부분만 받아들이는 것이다. 이러한 사람들끼리 대화를 하면 할수록 오히려 오해가 커지고 불신만 깊어지는 것은 당연한 일이다.

상대방의 의견을 존중하지 않고 나만의 시각이나 그릇의 크기로만 판단하는 것도 커뮤니케이션 능력 부족에 한몫을 담당한다. 한 사람이 축적한 경험과 지식, 사색의 깊이와 폭은 한계가 있게 마련이며 각자 다를 수밖에 없다. 그러나 자신의 판단도 틀릴 수 있으며, 서로간의 상식에는 차이가 있을 수 있다는 점을 인정하지 못하는 것이다.

우리는 혹시 '상식' 또는 '커먼 센스(common sense)' 라는 말 자체가 가지는 함정에 빠져 있는 것은 아닐까? 복잡한 현대 사회에서는 한 분야의 사람이 다른 분야에서 상식으로 통용되는 생각이나 지식을 이해하지 못하는 경우가 생길 수 있다. 누구에게는 상식이지만 또 다른 누구에게는 상식이 아닐 수 있으며, 상식이 모든 사람에게 '커먼(common)' 하지 않은 경우가 더 많다. 그러함에도 자기에게나 상식적인 것을 다른 사람이 이해하지 못한다고 해서 무조건 그 의도를 의심하거나 상식이 없는 사람으로 폄하하는 것은 대화의 단절을 가져올 수밖에 없다.

대화나 토론 과정에서 감정과 논리를 구분하지 못하고 자존심과 자신의 의견이 뒤섞여 있는 것도 상황을 더욱 어렵게 만든다. 최근에 외국인이 본 한국인의 모습들에 대한 기사를 본 적이 있다. 이 기사에 따르면, 미국인들은 의견을 말한 다음에도 자신이 몰랐던 새로운 사실을 알게 되거나 다른 사람이 더 좋은 설득 논리를 가지고 있으면 이에 수긍하는 태도를 가지는 반면에, 한국인들은 자기 의견을 공개적으로 이야기하기 전까지는 매우 유연한 태도를 보이다가도 일단 공개적으로 입장 표명을 한 다음에는 어떠한 경우에도 그 입장을 고수하는 특성이 있다고 한다. 이 말이 전적으로 옳은 것은 아닐지라도, 우리나라에서 토론과 협상이 잘 이루어지지 않는 이유 중 일부분은 여기에서 찾을 수 있을 것이다.

서로간의 신뢰 부족, 커뮤니케이션 능력 부족과 더불어 사회적인 합의를 어렵게 만드는 또 다른 요인 중의 하나는 누구나 인정하는 중재자가 없다는 점이다. 이해 관계가 다른 두 집단 모두가 인정하는 전문가나 양쪽 모두가 존경하는 사회 지도층 인사가 없다보니, 당사자 사이의 대화가 한계에 다다른 상황에서는 아무도 도움을 줄 수 없는 상황에 빠져버리고 마는 것이다.

우리 사회는 전반적으로 전문가보다는 제너럴리스트(generalist)

또는 이론가가 득세한다는 말이 있다. 문제를 풀기 위해서는 전문가가 문제를 정확하게 정의하고 그에 대한 구체적인 방법론을 제시해야 한다. 제너럴리스트는 전체적인 방향은 제시해 줄 수 있어도 구체적인 방법론에는 취약한 경우가 많으며, 실제로 일을 해보지 않고 책을 통해 이론만 습득한 사람들은 사실 강에 발을 담그지 않고 강둑에 앉아서 물살의 세기를 짐작하고 평을 하는 것과 같다.

경영학 교과서에서 자주 인용되는 유명한 예 중에, 세계적인 전략가들이 일주일 동안 밤낮을 가리지 않고 열심히 회의를 거듭한 끝에 거창한 전략을 완성했는데 결국 실패하고 말았다는 이야기가 있다. 현실과 현장 경험이 빠진 이론은 사상누각에 지나지 않는다는 것을 단적으로 보여주는 예라고 할 수 있다.

그러나 전문가가 뒤로 빠져 있는 상황에서는 어떠한 의견도 제시할 수 없고 의견을 내더라도 인정받지 못하게 마련이다. 이공계 기피라는 상황도 결국은 전문가가 인정받지 못하는 전반적인 사회 현상을 반영한다고 볼 수 있다.

또한 어려운 상황을 잘 헤쳐나가기 위해서는 한 분야뿐만 아니라 다방면에 깊은 지식을 가진 전문가가 가장 바람직하겠지만, 우리나라에서는 한 분야의 전문가가 다른 분야의 전문 지식을 공부하거나 진출하는 것에 대해 배타적인 분위기가 만연해 있어 이러한 사람이 쉽게 나오거나 자리잡기도 힘든 실정이다.

전문가가 사회적으로 인정받지 못하는 상황이라 할지라도, 도덕적으로 인정받는 사회 지도층 인사가 나선다면 그 공백을 메꿀 수 있겠지만, 이러한 인사들 역시 부족하기는 마찬가지다. 이렇게 된 데에는 사회 지도층 인사들의 잘못도 있겠지만, 이순신 장군도 감옥으로 보냈던 각박한 우리 사회의 풍토도 일조를 한다고 생각한다. 리더를 인정하지 않으려는 분위기 속에서는 존경받는 인물이 나오기가 힘들며, 존경받는 사회 지도층 인사의 부재는 우리 모두의 불행이라는 사실을 이제부터라도 자각해야 할 것이다.

이제는 더 이상 이러한 상태가 지속되어서는 안 된다. 어느 누구에게도 도움이 되지 않는 일이기 때문이다. 투명성을 높이는 사회 시스템의 구축과 교육 제도의 개편, 전문가와 리더에 대한 인정과 함께 문제점에 대한 공감대 형성 등 국민 모두의 지속적인 노력이 필요한 때이다.

인식과 진실

사회 생활을 하다보면 남들에게 오해를 사는 경우가 있을 수 있다. 사실은 그렇지 않은데 다른 사람들이 잘못 알고 있는 경우도 있고, 내 마음은 그렇지 않은데 다른 사람들이 정반대로 생각하는 경우도 있다. 이러한 경우에 내 진심을 몰라준다고 혼자 섭섭해 하거나, 적극적으로 진실을 알리려고 아무리 설명을 해도 상대방이 믿어주지 않아서 억울해 한 기억이 누구에게나 한 번쯤은 있을 것이다.

'Perception is Reality' 라는 말이 있다. 인식되는 것이 진실이라는 말이다. 이 말은 언뜻 들으면 모순되는 것처럼 보인다. 상식적으로 진실과 그에 대한 인식은 다를 수 있기 때문이다. 사람들은 어떠한 사실을 받아들일 때 자신의 지식과 경험에 따라 그 사실을 해석해서 받아들이기 때문에, 같은 현상에 대해서도 보는 사람마다 인식이 다를 수 있다. 과장된 예로 같은 책을 읽은 초등학생과 대학교수의 느낌이 다를 수밖에 없듯이, 한 가지 사실에 대해서도 사람마다 다르게 인식할 수 있는 것이다. 사람들간의 오해도 이러한 인식의 차이에서 기인하는 경우가 많다.

그런데도 사회는 사람들이 느끼고 인식하는 것에 기초하여 관계가 규정되고 일들이 벌어진다. 사람들의 인식이 진실과 거리가 있는 경우에도, 그러한 잘못된 인식을 바탕으로 하여 상호작용이 벌어지는 것이 사회의 속성이다. 따라서 개인적인 입장에서는 인식과 진실이 다를 수도 있겠지만, 사회적인 관계에서는 인식은 진실의 힘을 가지게 된다. 이것이 '인식은 진실' 이라는 말이 가지는 진정한 의미일 것이다.

자신의 입장에서 보면 진실이라 해도, 주위에서 모두 그렇지 않다고 생각한다면 그것은 더 이상 진실로서의 역할을 하지 못한다. 사회생활에서 나를 규정하는 것은 스스로 생각하는 내가 아닌, 상대방이 인식하는 나이기 때문이다.

유명한 마케팅 이론 중에 포지셔닝(positioning) 이론이 있다. 사람들 마음속에는 동일한 범주에 속하는 상품들에 대한 순위가 매겨져 있으며, 일단 매겨진 순위는 바뀌기 힘들다는 것이다. 즉, 한 상품 또는 브랜드가 일단 사람들의 마음속에 1등으로 자리잡은 다음에는, 실제 내용상으로 그 상품이 다른 상품과 별로 차이가 없는 경우라고 할지라도 그 상품이 더 좋은 것이라는 인식이 지속된다는 것이다. 우리 일상 생활에서도 이 이론이 적용되는 예들을 많이 볼 수 있다. 포지셔닝 이론 역시 '인식은 진실' 이라는 말을 마케팅에 적용한 것이라고 볼 수 있을 것이다.

주위에서 자신에 대해서 잘못 인식하고 있는 경우에는, 아무리 조목조목 사실을 나열하고 설명을 하더라도 일단 자리잡은 인식은 바뀌기 힘들다. 인식은 말만으로 바꿀 수 있는 것이 아니기 때문이다. 일단 자리잡은 인식을 바꾸기 위해서는 그렇지 않다는 것을 행동으로 보여주어야 하며, 충분한 시간이 필요한 법이다. 상대방이 잘못 알고 있다고 해서 억울해 하고 상대방에게 불평을 하는 것은 문제 해결에 아무런 도움이 되지 않는다.

우리 사회 전반적으로 여러 분야에서 서로에 대한 잘못된 인식들이 존재하고 있다. 개인간, 이해집단간, 그리고 국가와 국민 간 모두에서 이러한 것들을 발견할 수 있다. 그러나 이를 바로잡기 위한 행동보다는 말만 지나치게 앞서 나가는 것은 아닌가 하는 느낌을 받는다.

말만으로는 이미 자리잡은 인식을 바꾸기 힘들며, 행동이 따르지 않는 말만 계속 반복되면 오히려 가장 중요한 신뢰감마저 상실될 수 있다는 데 공감하는 분위기가 절실하다.

토론과 대중 매체

CEO AHN CHEOL SOO

세계에서 우리 사회만큼 역동적인 변화를 보이는 곳도 드물 것이다. 사람들이 강한 개성과 의견을 표출하면서 나타나는 여러 사회 현상들은 우리 스스로도 인식하지 못하는 사이에 모두를 바꾸어가고 있다. 그리고 인터넷은 흩어져 있던 사람들의 의견을 결집하고 이를 대중에 전파함으로써 이러한 변화를 가속화하고 있다.

개성이 강하고 의견이 다른 많은 사람이 모여 살다보니 토론의 필요성 또한 자연스럽게 증대되고 있다. 자유 민주주의 체제에서는 다양한 의견을 자유롭게 개진하는 것 역시 필요하지만, 우리 모두가 발전하기 위해서는 사회적인 이견을 조정하고 합의를 도출해 가는 것 또한 필수적이기 때문이다.

그러나 나를 포함하여 우리나라에서 교육을 받은 대부분의 사람에게 토론은 익숙하지 않은 분야이다. 입시 제도를 거치면서 개인 경쟁력 강화에만 집중한 나머지, 다른 사람들과 협력하여 성취하는 방법에 대해서는 고민해 본 적이 없기 때문이다.

진정한 토론이 이루어지려면 기본적인 자료 수집과 논리적인 사고, 커뮤니케이션 능력, 다른 의견 또는 다른 분야에 대한 이해력과 포용력이 따라야 한다. 토론 당사자들에게 이러한 능력이나 최소한의 개념이 빠져 있다면 그 토론은 토론이 아니라 자신의 주장만 되풀이하는 논쟁이나 말싸움의 수준에 머무를 수밖에 없다.

이러한 상황을 악화하는 데는 대중 매체들도 일조를 한 셈이다. 최근 대중 매체도 관심을 가지고 토론 프로그램들을 만들고는 있다. 그러나 실제로 내용을 보면 토론이 아니라 일방적인 자기 주장을 반복하고 최소한의 합의점 도출에도 실패하는 경우를 흔하게 볼 수 있다.

특히 선거에 나선 후보자들간의 토론회에는 '토론'이라는 이름을 붙이는 것 자체가 낯 뜨겁다는 생각이 든다. 자신의 생각이 틀리고 논리에 허점이 있어도 인정하지 않고 무조건 자기 주장만 고집하며 절대로 물러서지 않는 것을 토론이라고 부를 수 있는가. 그런데도 여기에 토론회라는 이름을 갖다 붙이니, 국민 사이에서는 토론은 자신의 주장만 고집하는 것이며 말만 잘하고 목소리만 크면 이길 수 있다는 그릇된 인식이 심어지게 된다. 사회적인 합의가 잘 이루어지지 않는 이유 중의 하나도 토론에 대한 잘못된 인식에서 찾을 수 있다.

그러나 해결의 실마리 또한 대중 매체에서 찾을 수 있다. 대중 매체는 시청자들에게 사회적으로 받아들일 수 있는 생각과 행동의 범주를 규정해 주는 역할을 한다는 점에서 그 영향력이 엄청나게 크다. 할리우드 영화가 미국 문화 규범에 미친 영향을 굳이 예로 들지 않더라도, 대중 매체는 어떤 사회적인 상황에서 어떠한 생각과 행동을 하는 것이 적절한지를 알려주고 강화하는 데 막강한 영향력을 발휘한다.

따라서 지금부터라도 제대로 된 토론을 벌일 수 있는 패널을 선정하여, 이들이 자신의 의견과 논리를 개진하고 상대방의 생각을 수용하면서 서로간의 이해의 폭을 넓히고 합의를 도출해 나가는 과정을 재미있게 보여준다면 파급 효과는 누구도 짐작할 수 없을 만큼 커질 것이다.

올바른 토론 문화가 정착되어 다양한 의견을 자유롭게 펼치면서도 동시에 우리 모두를 위한 합의를 도출할 수 있는 성숙된 사회로 발전할 수 있기를 바란다.

조폭 영화와 국민 정서

일명 '조폭 영화'가 큰 인기를 끈 적이 있다. 조직 폭력배라는 어두운 소재에 코미디 요소를 가미한 이 장르는 한동안 많은 흥행작을 탄생시켰다. 우직하면서도 정과 의리가 강한 조직 폭력배들이 사회적인 통념이나 공권력과 대립하면서 벌어지는 갖가지 사건들을 다루는 것이 조폭 영화들의 기본적인 줄거리이다.

희한한 것은 이러한 영화들을 보면 기본적인 사회 질서보다도 오히려 조직 폭력배들에게 동질감을 느끼고, 행여 이들이 경찰의 추격을 뿌리치는 장면이라도 나올라치면 안도의 한숨을 내쉬게 된다는 것이다. 분명 현실에서는 그들을 꺼리고 경계하는데 말이다.

이러한 조폭 영화들이 전 국민적인 인기를 끈 데는 나름대로 시사하는 바가 크다고 생각한다. 물론 우리 영화 산업이 발전하여 세계적으로도 경쟁력 있는 영화를 만들게 된 것이 가장 큰 이유일 것이다.

그러나 유독 이러한 종류의 영화들이 오랫동안 인기를 누리고 공감대를 형성하게 된 정서의 근저에는 서민들의 공권력에 대한 뿌리 깊은 불신, 그리고 세계에서 가장 스트레스가 심한 우리의 사회 환경에 대한 반감이 도사리고 있다고 생각한다면 지나친 것일까?

사실 우리 역사를 살펴보면 백성들은 가진 자, 배운 자, 힘 있는 자들로부터 끊임없이 배신당해 왔다고 해도 과언이 아니다. 가까운 역사만 살펴보더라도 임진왜란 때 선조는 백성들을 버려두고 피난길에 올랐으며, 6·25 전쟁에서도 대통령이 빠져나간 다음에 서울 시민들은 버려둔 채 한강다리를 폭파해 버리지 않았는가?

연이은 군사정권의 공권력 남용, 그리고 지금까지도 이어지고 있는 사회 지도층 인사들의 비리 소식에 국가와 리더에 대한 신뢰는 땅에 떨어지고, 국가의 권위와 제도, 법보다도 우리끼리의 의리가 우선이라는 의식이 싹트게 된 것은 아닐까 생각한다.

이렇게 보면 영화 속의 이야기이기는 하지만 의리를 중시하는 조폭들에게 동질감을 느끼는 것도 무리는 아닌 듯하다. 조폭끼리 의리를 지키며, 나름대로 힘을 가지고 용감하게 공권력에 대항하는 점을 보면서 일종의 카타르시스를 느끼는 것은 아닌가.

우리 사회는 세계에서 가장 스트레스가 심한 곳 중 하나인 것 같다. 한민족은 원래 감수성이 풍부하고 정이 많은 민족이다. 그러나 인구 밀도가 높다보니 타인에 대한 관심이 지나쳐서 '사촌이 땅을 사면 배가 아프다'는 속담처럼 질투심과 경쟁심도 남다르게 심하다.

또한 일반적인 사회적 기준으로 상대방을 평가하고 강요하는 피어 프레셔(peer pressure)가 심한 사회이기도 하다. 이러한 환경에서는 서로가 스스로 인식하지 못하는 사이에 상대방을 괴롭히게 되고 사회 전반적으로 스트레스 지수가 높아지게 된다.

40대 사망률이 세계 최고 수준이며, 어린 학생들뿐만 아니라 사회 지도층 인사들까지도 자살을 손쉬운 탈출구로 생각하는 현 세태는 이러한 상황이 얼마나 심각한 지경에 이르렀는지를 잘 보여주고 있다. 코미디 영화가 인기를 얻는 이유도, 웃을 일이 전혀 없는 각박한 현실로부터의 탈출구를 찾는 이가 많기 때문은 아닐까 생각한다.

이런 세태를 대변하듯 우리나라에는 헌법 위에 국민정서법이 있다는 우스갯소리가 있다. 아무리 논리적이며 합리적인 해결책이라고 할지라도 이해 관계자들의 정서적인 부분에 대한 고려 없이는 우리나라에서 통할 수 없다는 것이다.

정서란 무엇일까? 논리적이거나 시스템적인 면으로 설명되지 않는 것들을 통틀어 정서라고 표현할 수 있을 것이다.

우리와 대비해서 미국은 정서보다는 논리와 시스템이 더 강한 편이다. 한 검사가 미국의 워싱턴 D.C.로 연수를 갔을 때 목격한 것이라며 들려준 이야기가 있다.

어느 날 백악관 앞을 지나가다 그 앞에서 시위하는 모습을 보게 되었다고 한다. 시위대가 요구 사항을 주장하고 경찰들은 맞은편에서 바리케이드를 친 상태로 겉으로 보기엔 평화롭기까지 한 대치 광경이었다. 그런데 시위 군중 가운데 한 사람이 흥분한 나머지 바리케이드 선을 넘었다고 한다. 그 순간 경찰이 긴 곤봉으로 그의 머리를 후려치는 바람에 피가 사방으로 튀었다는 것이다.

그 광경을 본 그 검사는 충격을 받았고, 그날 저녁 TV를 열심히 보았다. TV에 분명 그 사건이 크게 다루어질 것이라 예상했던 것이다. 그러나 어느 방송을 봐도 그 사건에 관한 보도는 전혀 없었다고 한다.

이 이야기는 미국이 얼마나 규칙이나 시스템을 중요하게 생각하는

가에 대한 단적인 예가 될 수 있을 것이다. 우리는 보통 미국에서는 개인의 자유를 가장 큰 가치로 여긴다고 생각하지만, 그에 못지않게 규칙을 엄격하게 지키는 것을 중요하게 여긴다. 그 검사가 목격한 사건도 경찰과 시위대 사이에 선이 있는데 시위대가 그 선을 넘어서는 안 된다는 규칙을 어겼기 때문에 벌어진 일이었다. 정해진 구역에서 정해진 행동을 하는 것은 아무 문제도 되지 않지만 그 선을 넘으면, 즉 규칙을 어기면 그가 목격한 것처럼 엄청난 대가를 치러야 하는 것이다. 게다가 규정을 지키지 않은 사람이 피해를 보는 것을 미국인들은 지극히 당연한 일이라고 여기기 때문에 뉴스거리조차 되지 못했던 것이다.

그런데 만약 우리나라에서 그런 일이 일어났다면 어찌 되었을까? 아마 경찰은 과잉 진압이라는 사회적 지탄을 받고 나라 전체가 한동안 시끄러웠을 것이다. 우리나라에는 미국 같은 규정이 없기 때문일까? 그렇지는 않을 것이다. 규정만을 가지고 따지자면 우리나라만큼 잘되어 있는 나라도 드물다는 이야기를 들은 적이 있다. 오히려 우리나라에서는 정해진 규칙보다도 정서적인 면이 사람들을 움직이는 데 더 큰 영향력을 발휘하기 때문이 아닐까 한다. '아무리 규칙이 있어도 그렇지, 어떻게 사람을 저렇게……' 라고 생각하는 것이다.

미국은 철저하게 논리와 시스템으로 움직이는 사회이기 때문에 규정을 어기면 가차 없이 거기에 따른 피해를 감수해야 하며, 또한 어디에도 누구에게도 호소할 수 없는 사회이지만, 우리나라는 규정을 어긴 경우에도 법과 함께 정서적인 요소도 함께 고려해야 하는 사회이다. 심지어 어떤 사람이 극악무도한 죄를 지었음에도 시간이 지나면 이제 고생할 만큼 했는데 봐주어야 한다는 게 우리의 정서이다.

그러나 정서가 나쁘게만 작용하는 것은 아니다. 정서의 가장 큰 장점은 응집력이나 폭발력을 이끌어낼 수 있다는 점이다. 좋은 예로 IMF 환란 때의 금 모으기 운동과 월드컵 때의 거리 응원을 들 수 있다.

국민정서를 긍정적인 방향으로 이끌어가기 위해서는 먼저 우리에게 힘을 주는 정서와 힘을 빼앗아가는 정서를 구별할 수 있어야겠다.

힘을 빼앗아가는 정서는 우리나라 전체 경쟁력을 해치는 역할을 하기 때문에 극복의 대상이어야 한다. 대표적인 것 중의 하나로 다른 사람 또는 다른 분야에 대해서, 나와 다를 수 있고 내가 틀릴 수 있음을 인정하지 않으려는 마음가짐을 들 수 있다. 세상은 아주 넓으며 상황 또한 다양할 수 있는데, 자신의 경험이나 상식의 폭만으로 남을 이해하려 들면 문제가 생기게 마련이다.

사회 전반적인 투명성이 떨어지다보니 서로를 믿지 못해서 나타나는 현상일 수도 있지만, 우리는 내 상식으로는 이해가 되지 않아도 옳을 수 있음을 인정하는 측면이 약한 편이다.

이제는 국민 정서 중에서 어떠한 정서가 우리의 힘을 빼앗고 약하게 만드는지를 냉철하게 살펴보아야 한다. 그래서 그러한 정서 대신에 그 자리를 논리와 시스템으로 채워나가야 하며, 반대로 우리에게 힘을 주는 정서는 북돋워주고 최대한 잘 이끄는 노력이 필요하다.

이렇게 힘을 한 곳으로 모으는 역할을 좁게는 정치권, 넓게는 사회 각계각층의 리더가 해나가야 할 일이라고 생각한다. '함께 살아가는 사회' 그리고 '우리 자녀들이 살아갈 사회'라는 생각으로 타인에 대한 배려와 장기적인 시각이 우리 사회에 뿌리내리기를 바란다.

리더십의 시대

내가 즐겨 찾는 인터넷 사이트 중 하나는 아마존닷컴(amazon. com)이나 반스앤노블(www.bn.com)의 경영 서적 분야이다. 최신 서적들에 대한 정보를 얻을 수 있는 데다, 수시로 집계되는 베스트셀러 목록을 살펴보면서 경영 분야의 이슈에 대한 흐름을 파악할 수 있기 때문이다.

소설과는 달리 경영 분야에서 베스트셀러가 되었다는 것은 실제로 경영에 관여하고 있는 많은 사람에게 유용한 책으로 인정받았다고 볼 수 있기 때문에, 장기간 베스트셀러 목록에 올라 있는 책들은 가능한 한 구해서 보는 편이다.

미국의 경영 분야에서 지속적으로 많은 사람의 관심을 끄는 분야 중의 하나가 '리더십' 이다. 리더십이 새로운 주제가 아닌데도 계속 강조되는 데는 여러 가지 이유가 있을 수 있다.

많은 사람이 오랫동안 연구해 왔는데도 아직 리더십에 대한 명확한 해답이 내려지지 않은 것도 그 이유가 될 수 있다. 또한 세계화가 급속하게 진행되고, 따로 떨어져 있었던 영역간에도 서로 영향을 미치는 복잡한 상황에서 그 필요성이 더 커지기 때문일 수도 있다.

그렇지만 무엇보다도 요즈음처럼 불확실성이 큰 시대를 헤쳐나갈 수 있는 유일한 대안이라는 생각으로, 위대한 리더십에 대해 많은 사람이 갈증을 느끼고 있는 것이 가장 큰 이유라고 생각한다.

그렇다면 리더는 어떤 사람일까? 진정한 리더라면 어떤 조건을 충족시켜야 하는 것일까? 나는 리더에게 요구되는 가장 기본적인 요건은 '철학'이라고 생각한다. 그 중에서도 조직의 이익과 개인의 이익이 상충될 때, 개인의 이익을 버리고 조직의 이익을 택할 수 있는 사람만이 한 조직의 리더가 될 자격이 있다. 이것은 조직이 작든 크든 마찬가지이다. 그러나 말은 쉽지만 실제로 그러한 상황이 닥쳤을 때 조직을 위한 선택을 할 수 있는 사람은 많지 않다. 참된 리더가 빛을 발하는 것도 그러한 이유 때문이다.

또한 리더십의 핵심은 원칙과 일관성이다. 원칙은 매사가 순조롭고 편안할 때에는 누구나 지킬 수 있다. 상황이 어렵다고, 나만 바보가 되는 것 같다고 하여 한두 번 자신의 원칙에서 벗어난다면 그것은 진정한 원칙이 아니며, 현명한 태도도 아닐 것이다.

그러나 무엇보다도 리더십은 사람과 사람 사이의 신뢰를 근간으로 한 것이어야 한다. 리더십 자체는 크게 보면 결국 사람과 사람 사이의 관계 문제이다. 인간관계에서 신뢰가 가장 중요하듯, 리더십에서도 신뢰의 형성이 가장 중요하지 않겠는가.

신뢰를 얻기 위해서는 상대방을 자신의 이익에 이용하지 않겠다는 진실한 마음가짐이 선행되어야 한다. 또한 스스로 일관성 있게 원칙을 지키고, 성실하게 상대방과의 약속을 지키는 모습을 솔선수범으로 보여주는 것이 필요하다.

따라서 개인의 희생이 따르더라도 조직 전체를 위하는 마음가짐과 원칙, 일관성, 신뢰는 리더로서 갖추어야 하는 필수 불가결한 요소라고 할 수 있다.

또한 철학이 기본이기는 하지만, 꼭 필요한 능력도 갖추어야 진정한 리더라고 할 수 있다. 아무리 생각이 올바르다고 해도 제대로 실행할 능력이 부족하다면 리더가 될 자격이 없다.

필요한 능력은 조직의 크기에 따라서 다를 수 있다. 작은 조직의 리더는 모든 실무적인 일에 관여하는 실무형 리더가 되어야 한다. 이때 필수적인 능력이 바로 해당 분야의 전문 지식 그리고 업무 능력이다. 즉 문제를 정의하고, 판단하고, 해결할 수 있는 능력이 필요하다.

큰 조직일 때는 리더 한 사람이 조직의 모든 일에 관여하기는 힘들며 관여해서도 안 된다. 이때 리더에게 필요한 능력은 다른 사람들에게 권한 위임을 통해 일을 해결해 나가는 동시에, 상황을 거시적으로 보고 전략을 수립할 수 있는 '전략적 사고'이다. 이러한 리더를 전략형 리더라고 부를 수 있다.

권한 위임을 위해서는 우선 '사람 보는 눈'이 필요하다. 사람의 심성과 능력을 파악하고 인재를 적재적소에 배치할 수 있어야 조직의 각 부분이 원활하게 돌아갈 수 있기 때문이다.

그러나 여기서 다시 한번 강조하고 싶은 점은 권한 위임이 세부적인 전문 지식을 몰라도 되거나, 무조건 믿고 맡기는 것이 아니라는 점이다. 자신이 직접 할 수 있는 일을 다른 사람에게 맡겨야 진정한 권한 위임이 될 수 있다. 또한 실무자가 하는 일을 지속적으로 관찰하면서 큰 방향이 올바로 가고 있는지 그리고 도와줄 부분이 없는지를 파악하는 것이 진정한 권한 위임의 핵심이다. 따라서 진정한 권한 위임을 위해서는 현장감 있는 전문 지식과 적절한 질문과 검증을 통해 제대로 챙기는 것이 필수적이다.

그 밖에 작은 조직의 리더이든 큰 조직의 리더이든 꼭 갖추어야 하는 것이 커뮤니케이션 능력이다. 경영이란 '다른 사람을 통해서 일을 하는 것' 이다. 따라서 이를 위해서는 다른 사람의 품성과 능력을 파악하고 그 사람의 눈높이에 맞는 업무 지시와 비전 제시가 필요한데, 이 과정에서 커뮤니케이션 능력은 필수이다. 아무리 올바른 철학과 능력을 가진 사람이라도, 자신의 뜻을 다른 사람들에게 제대로 알리고 이해시키지 못하면 리더로서의 자격이 없는 것이다.

앞서 설명한 리더로서의 자격을 충분히 갖춘 사람이라도 그가 진정한 리더십을 발휘하기 위해서는 참고 기다려줄 수 있는 주위 환경이 중요하다. 리더십도 인간관계인 이상, 시간이 필요하다. 리더에게 모든 책임을 전가할 수는 없다. 순간적인 첫인상이나 단기간의 관찰만으로 조급하게 판단하여 비판하는 것은 적절하지 못하다는 것을, 우리 모두 히딩크 감독을 통해서 경험한 바 있다. 장기적인 시각을 가지고 노력하는 사람들을 인정하는 토양에서만이 진정한 리더십은 싹틀 수 있다.

우리 사회는 지금 진정한 리더십을 가진 사람들에 대한 요구가 어느 때보다도 절실하다. 리더십은 해당 조직의 경쟁력의 근간이며, 나아가서 21세기 국가 경쟁력의 근간이다. 따라서 앞으로 진정한 리더십이 형성되고 발휘될 수 있는 토양을 가꾸는 일이 우리 모두에게 주어진 숙제일 것이다.

한국 사회의 업그레이드

CEO AHN CHEOL SOO

한국 현대사에서 가장 큰 사건을 꼽으라면 IMF 환란을 꼽는 데 주저하지 않을 것이다. 텅 빈 도로, 바닥을 알 수 없을 정도로 추락하기만 하던 경기 상황, 우리나라가 망할지도 모른다는 공포감 등은 지금도 많은 사람의 기억 속에 남아 있다.

그러나 그 이후 우리는 스스로도 믿을 수 없을 정도로 빠른 시간 내에 피해를 복구해 나갔고, 다시 자신감을 찾기 시작했다. 2002년 월드컵은 우리에게 또 다른 차원의 자신감을 불러일으켰다. 성숙한 시민의식, 애국심을 통한 전 국민의 화합 그리고 우리도 당당히 세계 무대에 설 수 있다는 자신감을 얻었다. 이러한 일련의 과정을 통해서 선진사회로 발전할 수 있는 가능성들이 곳곳에서 나타나고 있다.

그러나 한국 사회가 한 단계 업그레이드되기 위해서는 반드시 해결하고 넘어가야 할 근본적인 문제들이 몇 가지 있다.

첫째, 타인 또는 타집단에 대한 존중과 배려이다. 빠른 속도로 경제가 발전하고 사회가 복잡해지면서 주변과의 경쟁도 심해졌다. 그러다보니 다른 사람들을 생각할 만한 여유를 잃은 것 같다. 지역간, 계층간, 세대간, 직업간에 갈등이 생겼을 때 타협하지 못하고 끊임없이 대립만 하는 모습이 종종 보이고 있다. 인정받는 리더나 조직이 없다보니 중재할 수 있는 곳도 마땅치 않으며, 설령 누가 중재에 나서더라도 그 권위를 인정하려 하지 않는다. 사회 전반적인 투명성 부족으로 너무나 많은 대가를 치르고 있는 셈이다. 이렇게 다른 사람이나 사회 전체보다는 자신이나 자신이 속해 있는 조직만을 생각하는 집단 이기주의는 우리 모두를 추락시키고 있다.

둘째, 장기적인 시각을 가진 사람에 대한 인정이다. 세상에는 바로 결과를 얻을 수 있는 일들도 있지만, 규모가 크거나 연관 관계가 복잡한 경우에는 오랜 시간이 지나봐야 결과를 볼 수 있는 경우도 많다. 또 지속적으로 긍정적인 변화를 이끌어내기 위해서 좀더 근본적인 접근 방법이 필요한 경우도 있다.

이러한 경우에 눈앞의 순간적인 평판이나 이익에 연연하지 않고, 시간이 걸리더라도 근본적인 처방을 택하고 이를 일관성 있게 추진할 수 있는 힘은 장기적인 시각에서 생겨난다. 이러한 사람들이 의지와 철학을 가지고 성과를 내기 위해서는, 사안에 따라서 조급하게 판단하고 질책하기보다는 장기적인 시각 자체를 인정해 주고 기다려줄 수 있는 사회적인 공감대가 형성되어야 한다.

셋째, 기초와 기본에 대한 중요성 인식이다. 1 · 25 인터넷 대란과 대구 지하철 참사는 우리 사회가 얼마나 보안과 안전에 대한 인식과 투자에 뒤떨어져 있는가를 보여주는 단적인 사례이다. 또한 기초와 기본이 부실한 경우에는 엄청난 피해를 볼 수 있다는 것을 실증한 사례이기도 하다.

당장 효과가 나지 않는 기초를 닦는 일에 많은 시간과 노력을 투자

하는 것은 힘든 일이지만, 일단 탄탄하게 닦인 기초는 사람이나 조직을 더 멀리 나아가게 할 수 있는 힘이 된다.

넷째, 한 번 했던 실수를 반복하지 않도록 사회 제도를 정비하는 것이 중요하다. 문제가 생겼을 때 현상만 치유하기보다는, 더욱 근본적인 원인을 파악하여 이를 고치고 제도화하는 시스템을 만들어야 한다. 그래야 다시 다른 영역에서 유사한 일이 벌어졌을 때, 같은 시행착오를 반복하여 귀중한 사회 비용이 낭비되는 일을 막을 수 있다.

다섯째, 사회 각계각층에서 인정받는 리더들이 필요하다. 우리 사회에서는 조직의 규모와 상관없이 리더가 되기 힘들며, 사람들도 리더에 대해서 그 권위를 인정하지 않거나 믿지 못하는 경향이 있다. 그 이유는 여러 가지가 있지만, 지금까지 리더들 중에서 모범을 보이지 못하고 결격 사유가 있는 경우가 많았기 때문일 것이다.

리더가 없거나 리더를 따르지 않는 상황에서는 그 조직이 추진력을 가지기 힘들며, 결국 조직 구성원 모두가 손해를 볼 수밖에 없다. 더구나 요즈음처럼 불확실성이 큰 시대를 헤쳐 나가기 위해서는 리더의 역할이 그 어느 때보다도 절실하다. 따라서 우리 사회가 한 단계 더 발전하기 위해서는 사회 각계각층에서 인정받는 리더들이 많이 나와야 한다고 생각한다.

살기 좋은 선진 사회를 만드는 일은 정부나 이해 당사자들만의 책임일 수는 없다. 우리 모두가 발전하기 위해서는 사회 각계각층이 끊임없는 관심과 문제 의식을 가지고 동참해야 한다. 문제점에 대한 공감대가 형성되고 앞으로 나아갈 방향에 대한 전 국민적인 합의가 있을 때 한국 사회의 업그레이드는 가능해질 것이다.

원칙을 정하는 것이 엄청난 일이라고 생각할 필요는 없다. 지금까지 살아온 삶을 되돌아보고 그 삶 속에서, 행동에서 일관성을 찾으면 그것이 바로 자기 나름대로의 삶의 원칙이 되는 것이다. 중요한 것은 그 일관성을 인식하는 것이다. 스스로 인식함으로써 자기 자신의 무게 중심이 설 수 있기 때문이다.

스스로 자신의 인생을 경영하는 CEO로서 인생의 원칙을 하나하나 정립하고 만들어간다면 그 삶은 의미 있는 삶이 된다. 그리고 그러한 원칙을 가지고 스스로 자기 인생의 주인으로 살아가는 사람들은 힘들 수는 있지만 불행하지는 않다.

젊은 세대에게

우리 모두는 자기 인생의 CEO입니다

5

살아가는 데 도움을 주는 여섯 가지 조언

CEO AHN CHEOL SOO

자신이 목표로 잡은 곳으로 가기 위해서는 나침반을 가지고 있어야 길을 잃고 헤매더라도 결국 방향을 제대로 잡을 수 있다. 특히 청소년이나 학생이 방향을 잡는 데 도움이 될 만한 조언 여섯 가지를 소개하고자 한다.

첫째는 '자신에게는 엄하고 다른 사람에게는 관대하라' 이다. 물론 말처럼 쉬운 일이 결코 아니다. 사실 자신에게는 관대하고 다른 사람들에게는 엄하기 쉬운 것이 인지상정 아니겠는가? 그렇지만 어떻게 보면 그런 태도야말로 많은 사람을 발전 없이 제자리에 머무르게 하는 이유가 아닐까 생각한다.

둘째는 '다른 사람과 비교하면서 살지 말라' 이다. 특히 다른 사람의 내적인 능력과의 비교가 아닌, 외적인 모습만의 비교는 삶을 불행하게 할 뿐이다.

세상에는 잘난 사람이 많다. 말 잘하는 사람, 재산이 많은 사람, 그리고 지위가 높은 사람 등등. 이렇게 외적으로 보이는 모습들은 일종의 결과로 나타난 것이다. 다른 사람의 내적인 능력과 비교하는 것은 자신의 발전에 자극이 될 수도 있지만, 결과로 나타나는 외적인 부분들만 가지고 비교를 한다면 여러 가지 부작용이 생길 수 있다. 특히 멀리 있는 사람이 아니라 같이 일하는 주변 사람과의 외적인 모습 비교는 불행한 삶을 초래할 뿐이다.

셋째는 '매사에 긍정적으로 생각하면서 살라' 이다. 긍정적인 시각으로 사물과 현상을 해석하는 사람들은 스스로가 즐거울 뿐만 아니라 주변까지 밝게 만든다. 반면에 부정적이고 방어적인 사람들은, 다른 사람이나 주변 상황에 대해서 불평하고 절망하면서 주위 사람들을 긴장시키고 조직 전체에 나쁜 영향을 미친다.

외부적인 환경이 나쁘다고 해서 그 환경을 탓하고 불평하는 것만으로는 상황을 바꿀 수 없을뿐더러 자신에게도 도움이 되지 않는다. 극복하려는 노력은 기울이지 않고 그렇다고 주어진 일에도 최선을 다하지 않다보면, 결국 자기 인생만 낭비하는 결과를 초래할 뿐이다. 따라서 부정적이고 방어적으로 살기보다는 자신을 바꾸거나 환경을 바꾸도록 노력하는 것이 중요하다.

넷째는 '매순간을 열심히 살아라' 이다. 우리는 살아가면서 많은 어려움을 겪는다. 어려움에 닥쳤을 때마다 쉽게 포기하기보다는 바로 지금이, 내 한계를 시험하는 순간이라는 마음으로 노력하는 자세가 중요하다. 쉽게 포기해 버린다면 바로 거기가 자신의 인생에서 평생 다시는 넘지 못할 한계선이 되는 것이다.

특히 20, 30대들은 바로 지금이 그 삶의 한계를 설정하는 순간이 된다. 개인적인 생활이나 사회 생활의 미래를 준비하는 시기이기 때문이다. 순간순간이 자신의 한계를 만들고 있음을 명심하고, 스스로의 한계를 넓히기 위해서 노력해야 한다.

그 다음으로 다섯째는 '미래의 계획을 세우라' 이다. 자신의 30대, 40대, 50대, 60대의 모습을 스스로 그려보는 것이다.

"계획 없는 삶은 꿈이 없는 삶이고, 꿈이 없는 삶은 불행한 삶이다"는 말이 있다. 꿈은 그 자체에 의미가 있다. 꿈이 이루어질 수 있느냐 없느냐가 중요한 것이 아니라, 인생에 방향성을 제시함으로써 활력을 주고 발전적으로 살아가게 하는 것이야말로 꿈이 가지는 진정한 의미이다. 그리고 만약 노력 끝에 현실로 이루어질 수 있다면 더욱 좋지 않겠는가.

마지막으로 여섯째는 '각자 자신에게 맞는 삶의 철학, 즉 원칙을 가져라' 이다.

원칙을 정하는 것이 엄청난 일이라고 생각할 필요는 없다. 지금까지 살아온 삶을 되돌아보고 그 삶 속에서, 행동에서 일관성을 찾으면 그것이 바로 자기 나름대로의 삶의 원칙이 되는 것이다. 중요한 것은 그 일관성을 인식하는 것이다. 스스로 인식함으로써 자기 자신의 무게 중심이 설 수 있기 때문이다.

그렇지만 처음부터 완벽한 원칙을 세워야 한다는 강박 관념에 사로잡힐 필요는 없다. 실천해 나가면서 수정하고 보강해 나가면 된다.

반면에 그런 원칙조차 없다면 삶을 살아가는 동안 흔들리고 우왕좌왕하다가 좌절하는 경우가 생길 수 있다. 보통 종교를 가진 사람들이 시련을 이겨내는 힘이 크다고 하는데 그 이유는 종교에는 나름대로의 가이드라인, 원칙이 있기 때문이다.

스스로 자신의 인생을 경영하는 CEO로서 인생의 원칙을 하나하나 정립하고 만들어간다면 그 삶은 의미 있는 삶이 된다. 그리고 그러한 원칙을 가지고 스스로 자기 인생의 주인으로 살아가는 사람들은 힘들 수는 있지만 불행하지는 않다.

열심히 사는 것의 의미

CEO AHN CHEOL SOO

2003년 이라크 전쟁이 한창일 때 한 종군여기자가 쓴 글이 내 마음을 사로잡았다. 가장 치열한 전투가 벌어지고 있는 바그다드로 이동 중인 미군 보급부대를 강인선 기자가 따라가면서 쓴 글이다.

25일 오전 기사를 쓰고 있는데 부대를 총지휘하는 대령이 찾아와서 돌아가고 싶냐고 묻는다. 나는 바그다드까지 가서 이 전쟁의 끝을 보고 싶은 생각과 이쯤에서 워싱턴으로 돌아가고 싶은 생각이 반반이라고 솔직하게 말했다. 대령은 내 옆자리에 앉았다.

"1976년 내가 한국의 비무장지대에서 근무할 때 북한군의 총격을 받아 팔에 부상을 입었어요. 8 · 18 도끼만행사건 직전입니다. 죽기 싫어 상관에게 남쪽으로 옮겨달라고 했습니다. 그러자 그는 여기서 도망치면 앞으로 어려운 일이 생길 때마다 항상 도망만 다닐 것이라며 당장 나가라고 소리쳤습니다."

그 대령의 큰 눈에 눈물이 그렁그렁 맺혔다.

"당신이 '여기까지가 나의 한계다' 라고 생각하고 돌아간다면 지금 그은 그 선이 평생 당신의 한계가 될지 모릅니다. 그렇지만 옳다고 판단하는 일을 하십시오. 도와드리겠습니다."

그의 눈에서 눈물이 주르륵 떨어졌다. 나는 막사 밖으로 나가 다시 불어닥치기 시작한 모래 돌풍 속에서 한참 동안을 멍하니 서 있었다. 선택할 수 있어서 너무 괴롭다.

기자의 절박한 상황을 모두 이해한다는 것은 불가능하겠지만, 그의 머릿속을 어지럽혔을 고심들을 나름대로 상상해 본다면 이렇지 않았을까. '지금 내가 부대와 함께 계속 전진한다면 목숨을 잃을 수도 있다. 그렇다고 이 시점에서 포기하고 신문사로 복귀를 한다면, 이것이 내 인생에서 내가 할 수 있는 최대한의 한계가 될 것이다. 앞으로 다시는 내 한계를 넘을 수 있는 기회가 오지 않을지도 모른다. 기회가 오더라도 다시 물러날 수밖에 없을 것이다.'

강인선 기자의 글은 나로 하여금 여러 가지 생각을 하게 했다. 이러한 선택은 전쟁이라는 극한 상황에서만 일어날 수 있는 것이 아니다. 기자가 '여기서 물러설 것인가, 아니면 목숨을 잃을지라도 내 인생의 한계를 극복할 기회로 삼을 것인가' 라고 고민했던 것처럼, 어쩌면 인생이란 수많은 선택의 순간에 직면하면서 자신의 한계를 넓혀가기 위해 끊임없이 노력하는 과정인지도 모른다.

경력만 놓고 본다면 나만큼 인생을 낭비한 사람도 드물 것이다. 좋은 의사가 되기 위해서 얼마나 긴 세월을 피땀 흘려 노력했던가? 의과대학에 들어가기 위해 열심히 공부했던 중고등학교 시절을 빼더라도 의대 재학 6년 동안 많은 고생을 했으며 석사, 박사 학위를 받고 군의관 복무까지 14년이라는 세월을 보냈다. 이 세월들은 지금 하고 있는 IT 분야나 경영과는 아무런 관련이 없다.

그뿐만인가? 새벽에 일어나 잠을 설치면서 10년 이상을 갈고 닦았던 프로그래밍 기술들은 지금의 경영 판단에는 직접적인 도움을 주지 못한다. 이렇게 현재 내가 하고 있는 일과의 직접적인 연관 관계만을 놓고 본다면, 과거의 수많은 시간과 노력은 모두 헛된 것이라고 볼 수도 있다.

그러나 열심히 산다는 의미는 그런 것이 아닌 듯하다. 물론 먼저 하는 공부나 일이 다음에 할 공부나 일과 밀접한 관련이 있도록 인생을 설계해서 살 수 있다면 가장 효율적인 삶이 될 것이다. 그러나 더 중요한 것은 지금 주어진 일에 최선을 다하고 열심히 살아가고자 노력하는 생활 태도라고 생각한다.

의과대학에서 배운 지식은 지금의 나에게는 직접적인 도움을 주지 못했다. 그러나 그때 몸에 익힌 열심히 살아가는 태도와 끊임없이 공부하는 습관은 지식보다 훨씬 값진 것이 되었다. 주말마다 진료 봉사를 하고 방학 때면 무의촌을 찾아다니면서 환자들을 돌보던 경험은 함께 살아가는 사회에서 구성원이 어떤 역할을 해야 할지에 대해 생각하게 해주었다. 깜깜한 새벽 3시면 일어나서 모포와 커피로 한기를 쫓으며 정신없이 백신 프로그램을 만들었던 시간은 매순간을 열심히 그리고 열정적으로 살아가도록 만들었다.

군대 시절 3년 복무 기간 중 처음 1년은 다른 사람들과 다를 바가 없었다. 그러나 어느 순간 그렇게 살면 안 되겠다는 생각이 들었다. 지금 주어진 일에 최선을 다하지 않는 사람은, 다른 일이나 더 나은 환경에서도 최선을 다하지 않을 것이라고 생각했다.

주어진 일이 하기 싫은 것이라도 최선을 다해야 한다는 생각은 학생 때 싹튼 것이다. 26년이라는 기나긴 세월을 학생으로 지내다보니 인생의 대부분이 시험의 연속이었다. 근데 이상한 것은 영어 시험 때가 되면 수학책이 재미있어 보이고 수학 시험을 쳐야 할 때가 되면 반대로 영어가 재미있어 보이는 게 아닌가. 이러한 경험이 반복되자 지금 주어진 일에 최선을 다하지 못하는 사람은 더 재미있는 일이나 더 좋은 환경이 주어진다고 할지라도 또 다른 핑계를 댈 것이라는 걸 깨달았다. 반면에 아무리 하기 싫고 나와 상관없는 일이라고 할지라도 일단 주어진 일에 최선을 다하는 사람이라면, 상황이 좋아질 때는 더 잘해낼 수 있으리라 생각한다.

얼핏 보면 인생을 허비하는 것 같은 군대 시절조차 열심히 살았던 생활 태도, 긍정적인 사고방식, 고생했던 기억과 보람은 지금까지도 고스란히 내게 남아 있다.

어떤 분들은 의과대학을 나오지 않고 공대나 경영대를 나왔다면 더 빨리 더 큰 성공을 거뒀을 것이라고 덕담을 해주신다. 그러나 나는 의과대학을 나왔기 때문에 여기만큼이라도 올 수 있었다고 생각한다. 의대에서 얻은 지식이 아니라, 의대를 다니면서 나 나름대로 깨우친 삶에 대한 생각과 태도가 오늘의 나를 만들었기 때문이다.

그렇지만 주어진 상황에서 최선을 다하라는 것이 그 상황을 무조건적으로 수용하라는 의미는 아니다. 당장 자신에게 이롭든 이롭지 않든 해야 하는 일이라면 그 상황에서 최선을 다해서 책임을 완수하는 것이 옳다. 피할 수 없는 상황임에도 불평만 하고 적당히 처리하고 넘어가는 것은 자기 자신을 위해서도 바람직하지 않다. 심사숙고

하여 판단하고 다른 선택을 강구하거나, 그것도 아니라면 주어진 일에 최선을 다하는 것이 올바른 삶의 방식이라고 생각한다. 우리는 결국 자기 인생의 CEO, 즉 최고경영자인 셈이다. 불평은 인생만 낭비하는 일이다. 선택할 수 없는 상황이라 할지라도 거기에서 가치를 걸러내는 일이 중요하다.

삶을 살아가면서 중요한 것은 '무엇을 했느냐'가 아니라 '어떻게 살았느냐'인 것 같다. 지난 시간 동안 그 사람이 현재 살아가는 데 얼마나 도움이 되는 인생을 살았느냐가 중요한 것이 아니라, 설사 지금의 모습과 아무 상관 없는 일을 했더라도 얼마나 치열하게 열심히 살았느냐가 더 중요한 것 같다. 그래서 나는 생각한다. 어떤 일을 하든지 열심히 사는 것 자체가 그 사람을 만들어가는 것이라고. 그 치열함은 결국 그 사람의 피 속에 녹아들어 가고 그 사람의 몸 속을 흐르게 되는 것이라고. 열심히 산다는 것의 의미는 그런 것이 아닐까?

튼튼한 기초공사

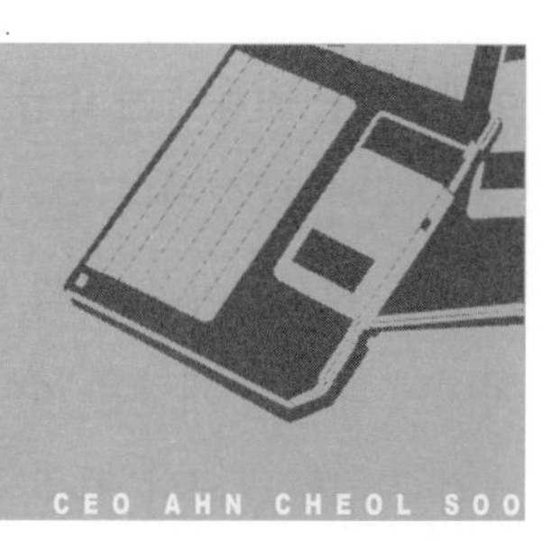

CEO AHN CHEOL SOO

의과대학 예과 2학년 때, 본업(?)이 아닌 취미 하나쯤은 있어야겠다는 생각에 바둑을 배웠다.

바둑을 선택한 이유에는 무슨 일을 하든지 의미를 부여하지 않고는 못 배기는 내 성격도 한몫을 했다. 다른 취미 활동 중에서도 재미있는 것이 많지만, 바둑은 정신 수양에 도움이 될 것 같았다.

일단 바둑을 배워야겠다고 생각한 내가 가장 먼저 한 일은 서점에 가는 일이었다. 나는 인류가 쌓아놓은 세상의 모든 지혜는 책 속에 있다고 믿으며, 사람이 세상에 남기는 유일한 흔적이 글이라고 믿는다. 책 속에는 그 책을 쓰기까지 저자가 고민한 세월과 시행착오의 노력이 담겨 있다. 그래서 바둑을 배우기 위해 가장 먼저 한 일도 책부터 사서 보는 일이었다.

종류별로 50권 정도의 바둑 관련 책을 사서 무턱대고 읽기 시작했다. 아무리 초보자 대상의 책이라고 해도 바둑알도 잡아보지 않은 사람이 책만 읽어서 그 내용을 이해할 수 있을 리가 없었다. 그렇지만 무조건 읽고, 외우라는 정석은 외웠다.

그러나 막상 대국을 시작해 보니 책으로 읽은 지식은 아무런 소용이 없었다. 처음에는 10급 정도의 사람에게 9점을 깔고도 100집 이상 졌을 것이다. 그러나 실전에서 판을 거듭할수록 예전에 무조건 읽고 외웠던 지식들이 조금씩 응용이 되기 시작했다. '앎'과 '깨달음'의 차이에 대해서 깨달은 셈이다.

컴퓨터에 대해서 처음 공부를 시작했을 때도 마찬가지였다. 컴퓨터도 없는 상태에서 책부터 보기 시작한 것이다. 읽다가 모르는 부분이 있으면 빨간 줄을 그어놓고 모르는 채로 놓아두고 계속 책을 읽어나갔다. 한 권의 책을 다 읽은 다음에는 그 책을 다시 읽기보다는 같은 주제의 다른 책을 사서 보았다. 그러다보면 앞서 읽은 책에서 이해 못했던 부분을 다른 시각에서 설명하거나 더 기초적인 지식으로 풀어놓은 해석들이 나오면서, 몰랐던 문제들이 자연스럽게 해소되기 시작했다. 또 다른 책을 읽다보면 또 다른 부분에 대한 의문이 풀렸다. 한 권의 책을 여러 번 읽기보다는 여러 권의 책을 소처럼 부지런히 읽어나가다보니 결국은 서로가 서로를 보완하면서 읽었던 책들을 전부 이해하게 되는 식이었다.

공부할 분야를 선택할 때는 가장 기초적인 것부터 시작했다. 예를 들어 워드프로세서를 사용하기 위해서는 바로 사용방법부터 배워야 한다고 생각할지 모른다. 그러나 나는 도스나 윈도 같은 운영체제부터 공부해야 한다고 생각했다. 사용방법을 먼저 익히면 빠르게 컴퓨터를 사용할 수 있을지는 몰라도, 문제가 생겼을 때는 컴퓨터에 대한 기초 지식이 없기 때문에 이를 해결하는 데 많은 시간이 걸리며, 비슷한 문제가 생겨도 해결할 능력이 없게 마련이다.

그러나 운영체제와 같은 컴퓨터의 기초부터 탄탄하게 익힌 다음에

워드프로세서 사용법을 익히면, 시간은 많이 걸리지만 문제가 생겼을 때 스스로 해결할 수 있는 능력이 생기게 되고 다양한 문제에 대해서도 조금만 고민하면 쉽게 대처가 가능해진다. 즉 기초가 튼튼하면 초기 행보는 느릴지라도 장기적으로는 오히려 앞설 수 있다.

의대 공부도 마찬가지였다. 많은 동기들이 시험을 볼 때 처음부터 일명 '족보'라고 불리는 문제집을 가지고 공부하는 데 반해 나는 교과서를 보았다. 내 공부 방식은 오히려 단단히 뿌리를 내려 잘 잊어버리지 않았고 문제집으로 공부한 사람보다 성적이 결코 나쁘지 않았다. 시험 문제들이 조금 응용되어 나오더라도 원리를 이해하고 있어 잘 대처할 수 있게 되었다.

모든 일에 이런 식이다보니 처음에 한 단계 올라서는 데 남보다 훨씬 많은 시간이 걸렸다. 그러나 책을 통해 기본원리를 정확히 익힌 덕분인지 얼마 안 가서 가속도가 붙고 남보다 더 빠르고 더 정확하게 이해할 수 있게 되었다.

그렇지만 다른 사람들에게 내가 쓴 방법을 그대로 따라하라고 권하고 싶지는 않다. 사람들마다 처해 있는 상황이나 적성이 다르기 때문이다. 한 직원은 새벽 3시에 일어나서 백신 프로그램을 만들었다는 내 이야기를 듣고는 자신도 일주일 동안 새벽 3시에 일어나서 영어 공부를 하기로 결심했단다. 하지만 결국 몸살이 나서 며칠을 앓아눕고 말았다. 영업직이다보니 늦게 퇴근할 수밖에 없는데도 억지로 새벽 3시를 고집해서 무리가 생긴 것이다. 여기서 내 공부 방법을 소개한 이유는 교과서와 기본의 중요성을 강조하고자 한 것이지, 내 공부 방법 자체가 좋다는 것은 결코 아님을 알아주길 바란다. 사람들마다 자신의 적성과 상황에 맞는 방법은 다를 수밖에 없기 때문이다.

개개인의 내적 재산도, 한 회사의 미래도 기초부터 차근차근 다져 갔을 경우에 그 진정한 힘을 발휘하고 원하는 위치까지 오를 수 있다고 생각한다. 비록 목표 지점까지 가는 시간은 더딜지라도 기초공사를 튼튼히 했을 때는 중도에 포기하게 되는 일은 없을 것이며, 그 위에 더 크고 멋진 목표를 단단히 세울 수 있는 것이다.

우리는 우리가 읽은 것으로 만들어진다

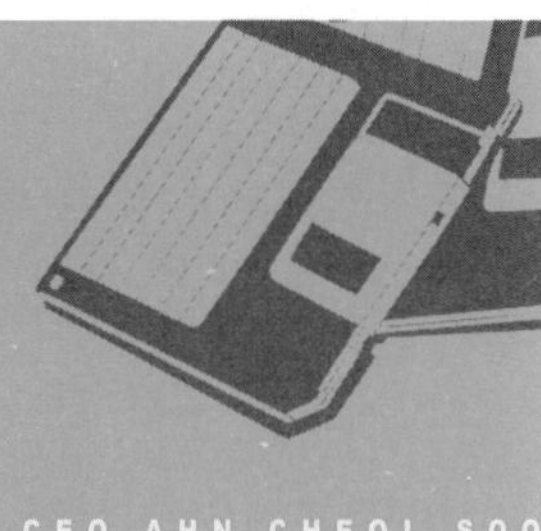

CEO AHN CHEOL SOO

나는 좋은 책을 만나면 밤을 새워가며 읽는다. 언젠가부터 미지의 세계로 들어갈 때엔 항상 책을 통해서 먼저 그 세계를 간접 경험하는 원칙을 가지게 되었다.

세상살이를 교과서처럼 곧이곧대로 하면 안 된다는 사람들을 간혹 보지만, 나는 그 말에 찬성하지 않는 편이다. 나는 여전히 교과서와 책은 지혜와 행동의 기준을 얻는 데 가장 효과적인 도구라고 생각한다.

"우리는 우리가 읽은 것으로 만들어진다"는 독일의 유명한 문호 마틴 발저의 말처럼, 책은 우리 인간이 '어떤' 것을 이루고 '무엇' 인가가 되는 데 가장 유익한 길잡이다.

책이 인생의 가장 좋은 스승이라고 생각하기에 나는 사람들에게 책을 읽으라고 많이 권하는 편이다. 그러나 책을 보아도 아무 소용 없고 현실에 반영할 수도 없는데 왜 그리 "책! 책!" 하냐는 사람도 있고, 마음에 와닿지 않는 책이 더 많다고 말하는 이들도 있다. 그런 사람들은 어쩌면 한 권의 책에 너무 많은 것을 바랐는지도 모르겠다.

이 세상에 정답을 주는 책이란 없다. 모든 사람이 처해 있는 환경이 다르고 그 한 사람 한 사람의 경험과 지식이 다 다르기 때문에 어느 상황에 딱 들어 맞는 해답을 주는 책은 존재하지 않는다. 만약 어려운 상황에 부딪혔을 때 책에서 해답을 찾으려고 한다면 백이면 백 실망만 할 것이다. 결국 정답은 자기가 찾아야 하기 때문이다.

그럼에도 불구하고 나는 책을 가장 훌륭한 스승이라고 확신한다. 그 이유는 다음에 설명하는 두 가지로, 내 나름대로 생각하는 책의 의미이다.

첫 번째 의미는 책을 읽음으로써 이미 알고 있던 것이라 해도 다시 한번 스스로 깨닫게 해준다는 점이다. 책을 읽기 전까지 몰랐던 것이 아니라 경험하고 사고하면서 마음속에 쌓아왔던 그 '무엇'을 스스로 깨닫게 해주는 계기를 마련해 주는 것이 바로 책이다. 책을 읽으면서 책의 내용과 자기 상황을 연관시키며 생각하는 과정에서 어느덧 '그것'을 깨닫게 되고 그만큼 사고의 폭이 넓어지는 효과가 있다.

두 번째 의미는 내가 모르는 세상이 존재한다는 사실을 깨닫게 해준다는 점이다. 책을 읽다가 잘 이해되지 않는 부분을 발견하거나 새로운 미지의 영역이 열리는 것을 느낄 때, 새삼 자신의 부족한 부분을 깨닫게 되고 발전의 계기로 삼을 수 있다.

하지만 아무리 좋은 책이라 할지라도 무턱대고 읽는 것보다는, 각자 나름대로 책을 대하는 올바른 태도와 습관에 대해서 한 번쯤은 고민해 보는 것이 필요하다고 생각한다. 나름대로 가지고 있는 나만의 독서 방법에 대해 이야기해 보겠다.

첫째, 사람들이 책을 통해서 얻을 수 있는 것은 자기가 이미 알고 있고 경험한 정도에 비례한다. 그래서 두 사람이 같은 책을 읽더라도 그들이 책을 통해서 얻는 지식의 양이나 깨달음에는 많은 차이가 나며, 심지어 반대로 해석하고 받아들이는 경우도 있다. 극단적인 예로 같은 책을 초등학생과 대학 교수가 읽었을 때 이해하는 정도와 받아들이는 폭이 어떨지는 생각해 보나마나이다.

마찬가지로 한 사람이 같은 책을 읽는다 할지라도 몇 년 전에 읽었을 때와 시간이 흐른 뒤 다시 읽었을 때의 느낌이나 감동은 상당히 다르다. 또한 과거에는 못 느꼈던 다른 감정을 느끼거나 새로운 이해와 지식을 얻는 경우도 있다.

그 이유는 사람들이 책을 읽을 때는 그동안 자신이 살아오면서 고민하고 경험한 것들을 바탕으로 자연스럽게 이해하기 때문이다. 즉 그 사람의 지식과 경험의 크기에 따라서, 그리고 현실에서 얼마나 고민하고 열심히 살아왔느냐에 따라서 이해의 정도와 폭이 다른 것이다. 바로 "책을 읽는 사람은 책을 이해하는 것이 아니라 자신을 이해하는 것이다"라는 말의 진정한 뜻이기도 하다.

따라서 어떤 책을 한 번 읽었다고 해서 그 내용을 모두 이해하고 있다고 자신하는 것은 위험한 생각이며, 다른 사람이 같은 책을 읽었다고 해서 그 사람의 지식이 나와 같을 것이라고 단정하는 것 역시 잘못된 생각이다.

둘째, 유익한 책읽기의 또 하나의 열쇠는 사색이다. 글을 읽는 것만큼 중요한 것이 사색이라고 생각한다. 그저 책장을 넘겨 책 한 권을 '해치운다'는 마음가짐보다는 거기에서 얼마나 많은 것을 얻을 수 있느냐에 중점을 두어야 하며, 여러 권의 책을 체할 것처럼 무턱대고 읽는 것보다는 좋은 책을 한 권이라도 천천히 생각해 가면서 읽는 것이 더 낫다.

책 내용을 자신의 경험이나 현재 상황에 대입해서 생각해 보고, 다른 책과도 비교해 보거나 연관지어 보는 등, 나름대로의 해석 과정을 거친다면 책에 담긴 지식도 내재화하고 사고의 폭도 넓힐 수 있을 것이다.

셋째, 유익한 책읽기를 위해 유의해야 할 또 한 가지는 편식하지 않는 것이다. 관심 있는 분야의 책만 집중해서 보는 것이 꼭 잘못된 것은 아니지만, 편협한 사고방식을 가지게 된다면 경계해야 한다.

책은 세상을 바라보는 저자의 시각을 담아놓은 그릇이다. 세상의 모든 사물과 현상은 여러 가지 측면을 가지고 있기 때문에, 이들을 올바로 이해하기 위해서는 다양하게 볼 수 있어야 한다. 그러나 저자가 여러 측면을 모두 다루기는 힘들 뿐 아니라, 완벽하지 못할 수도 있다. 따라서 책 내용을 무조건 믿으며 그와 다른 의견은 배제하기보다는, 융통성과 함께 열린 사고를 기르는 것이 필요하다.

넷째, 책을 읽을 때 마음에 드는 견해만 받아들이고, 마음에 들지 않는 것은 거부하거나 슬렁슬렁 읽고 넘어가서 곧 잊어버리는 잘못을 범하지 말아야 한다. 심한 경우 자신의 실수나 잘못에 대한 변명거리 또는 방어논리를 만드는 데 열중하기 위해 책을 읽는 경우도 있다. 그러나 이러한 경우라면 차라리 책을 읽지 않는 게 낫다.

책을 읽어서 자신의 부족한 부분을 깨우치고, 모자란 부분은 보충하며, 더욱 발전하기 위해서 노력할 때 책을 읽는 진정한 가치가 빛나기 때문이다.

다섯째, 책은 우리가 현실에서 필요로 하는 직접적인 답을 제공해 주지 않는다는 사실을 깨달아야 한다. 현실에서 일어나는 일들은 여러 가지 복잡한 상황, 여러 이해 관계자 그리고 역사가 혼합된 부산물이기 때문에 책에 나온 경우가 그대로 재현되는 경우는 없다 해도 과언이 아니다. 책에 나오는 다른 기업의 성공 사례를 그대로 따라 하더라도 성공하기 힘든 이유가 거기에 있다.

책은 해답을 제시해 주는 지도자나 선생님이라기보다는, 우리의 옆에서 여러 가지 견해를 들려주는 충실한 조언자이자 동반자로 생각하는 것이 적절하다.

여섯째, 책은 읽는 것에 그쳐서는 아무런 소용이 없다. 책은 많은 변화를 일으킬 수 있다. 새로운 시각은 궁극적으로 마음가짐의 변화와 생활 습관의 변화, 일하는 방식의 변화를 만들어낸다.

"현실에 반영하지 못하는 지식은 쓸모없는 것이다"라는 말에 전적으로 공감한다. 생각만 하고 행동에 옮기지 않으면 그림의 떡이나 모래 위에 세운 누각과 다를 바 없다.

마지막으로, 교육과 마찬가지로 책이 그 사람에게 영향을 미치려면 어느 정도의 시간이 필요하다는 사실을 알아야 한다. 어떤 경우에는 몇 년 후에 그 효과가 나타나기도 한다. 따라서 책을 읽고 난 후 효과가 바로 나타나지 않는다고 해서 조급한 마음을 가져선 안 된다. 좋은 책일수록 서서히 확실한 효과가 나타나기 때문이다. 충분히 사색하고, 책을 읽은 후에 갖게 된 새로운 시각을 현실에 적용하고자 노력한다면, 언젠가는 내재화한 지식과 에너지가 빛을 발할 것이라 믿는다.